Prinses zonder land

Esther Kamatari
Geschreven in samenwerking met Marie Renault

Prinses zonder land

Vertaald door Margreet van Muijlwijk

ARENA

Oorspronkelijke titel: *Princesse des rugo*
© Oorspronkelijke uitgave: Éditions Bayard, 2001
© Nederlandse uitgave: Arena Amsterdam, 2005
© Vertaling uit het Frans: Margreet van Muijlwijk
Omslagontwerp: D P S , Amsterdam
Foto voorzijde omslag: A F P / A N P
Foto achterzijde omslag: R B P /Paul Cooper
Typografie en zetwerk: CeevanWee, Amsterdam
I S B N 90 6974 718 9
N U R 302

Aan mijn vader, prins Ignace Kamatari,
aan mijn moeder, prinses Agrippine, die door iedereen
Mama Fota werd genoemd,
aan mijn zusters Boudouine en Fabiola,
aan mijn broers Alexis, Comon, Pascal, Louis en Godefroid,
aan mijn schoonzusje Carinie Nimubona,
aan mijn man Gilles,
en aan mijn kinderen Frédérique, Jade en Arthur.
Aan alle mensen in de modewereld die me hebben geholpen en
die me hebben leren zien wat schoonheid is,
aan alle vrouwen en mannen die mij steunen in mijn strijd om te
bewijzen dat 'de kinderen niet de prijs hoeven te betalen voor de
waanzin van de volwassenen'.

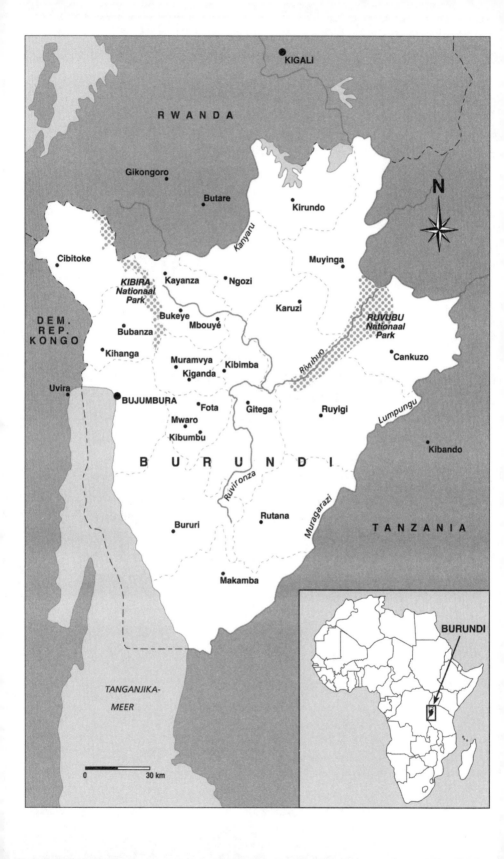

KIGALI

R W A N D A

Gikongoro

Butare

Kirundo

Cibitoke

Muyinga

KIBIRA
Nationaal
Park

Kayanza

Ngozi

Kanyaru

DEM.
REP.
KONGO

Bubanza

Bukeye

Mbouyé

Karuzi

RUVUBU
Nationaal
Park

Kihanga

Muramvya

Kibimba

Ruvubu

Cankuzo

Lumpungu

Kiganda

Uvira

BUJUMBURA

Fota

Gitega

Ruyigi

Mwaro

Kibumbu

Kibando

B   U   R   U   N   D   I

Ruvironza

Bururi

Rutana

Muragarazi

T A N Z A N I A

Makamba

TANGANJIKA-
MEER

N

0   30 km

BURUNDI

Inhoud

Tegen elf uur hield het, even plotseling als het was begonnen, op met regenen. De wolken werden dunner en een stralend blauwe hemel brak door. Het leven in de heuvels kabbelde vredig voort, aan de rand van de maïsvelden liepen koeien te grazen, spelende kinderen hosten door de regenplassen en kwamen onder de oranjerode modder te zitten.

Iets voor het middaguur verscheurde een donderend tromgeroffel deze vredige loomheid. De eerste slag werd gevolgd door tien, door honderd nieuwe roffels. De nagalm rolde van heuvel tot heuvel en gleed soepel over de nog natte bladeren van de bananenplanten, de flamboyants en de bougainvilles. Hij weerkaatste tegen de aanplantingen van colocasia, avocadobomen en bonen, hij vulde de lucht met zijn duivelse ritme en liet de wanden trillen van de hutten in alle rugo in de provincie Muramvya. Overal werden vragende gezichten opgeheven en het werk op de velden kwam stil te liggen. Het geluid van de trommels klonk boven alles uit, het was bezield met een heel eigen leven en bevatte een boodschap die iedereen probeerde te ontcijferen. Wat de trommels aankondigden, was vast iets heel belangrijks; het ritme wees op een gelukkige gebeurtenis. De bekendmaking

van een overlijden of een andere tragedie had een heel andere ca-
dans. De tamboers van de koning moesten de bevolking zeker goed
nieuws melden. De kinderen begonnen alvast lachend te dansen...
De boeren klitten in groepjes bij elkaar, de tongen roerden zich, men
vermoedde, men vroeg zich af: zou het... of anders... Had men niet
pas horen zeggen dat prinses Agrippine zwanger was? Zou ze al zijn
bevallen?

Even daarna werd het nieuws bevestigd: prins Ignace Kamatari,
de broer van koning Mwambutsa IV, en prinses Agrippine kondigden hun landgenoten de geboorte aan van hun dochter Esther. De
baby woog nauwelijks twee kilo. De geboorte was voorspoedig verlopen, dankzij de goede zorgen van de protestantse zendingszusters van
Kibimbu, waar het enige ziekenhuis stond waaraan prins Kamatari,
ongerust als hij was, zijn beminde echtgenote had durven toevertrouwen. Er was serieus aanleiding tot bezorgdheid over de gezondheids-
toestand van de prinses, die geholpen door haar omgeving streed tegen een vergiftiging waarvan men vermoedde dat ze met opzet was
toegebracht. Agrippines eerste weeën waren abnormaal hevig. Maar
eind goed, al goed: moeder en kind maakten het prima.

We schrijven 30 november 1951, in een traditionalistisch, vredig,
agrarisch en landelijk Burundi. God had Burundi geschilderd in de
kleur van de hoop, vertelt men daar: 'Toen God Burundi schiep,
spoot hij groene verf op zijn palet en leefde zich eens lekker uit!'

De groene heuvels

Mijn vader, die beschermende reus wie niets menselijks vreemd was, uitte zijn vroomheid door in de kerk luidkeels psalmen mee te zingen. Zijn sterke, gedragen stem ontroerde de toehoorders diep. Hij koos voor mij de voornaam Esther – de trotse bijbelse koningin die haar volk behoedde voor uitroeiing door de Perzen – een beladen naam die de hoge verwachtingen verried die hij voor zijn kinderen koesterde. Ik kwam twee jaar na mijn broer Pascal. Met mijn geboorte voldeden mijn ouders aan hun verplichtingen: ze hadden het land een jongen en een meisje geschonken. De tijd van de paleisruzies, de hofintriges en de machtsspelletjes zou eindelijk voorbij zijn, mijn moeder hoefde niet langer voor haar leven te vrezen. Haar vergiftiging en de ziekte die mijn geboorte hadden versneld, sloten hopelijk een moeilijke periode af.

Een veelbewogen romance

Prins Kamatari was heel jong al voor de eerste keer getrouwd met een prinses bij wie hij twee kinderen had. Maar toen hij op een van de wegen in zijn provincie de stoet kruiste van mijn moeder die zich in vol ornaat naar de zendingspost van Kibumbu begaf, werd hij als door de bliksem getroffen. Hij wist op slag dat zij de liefde van zijn leven was. Agrippine behoorde tot een adellijke familie uit een noordelijke provincie van het land. In Burundi worden ter voorkoming van problemen van bloedverwantschap koninginnen afwisselend uit twee verschillende families gekozen; mijn moeder behoorde tot een van die families en maakte dus kans op een huwelijk met een lid van de koninklijke familie. Voor mijn vader zou een huwelijk met haar niet beneden zijn stand zijn.

De kring mensen rond mijn vader kwam direct in actie om hem bij te staan in zijn nog clandestiene liefdesavontuur. Het Belgische toezichthoudende bestuur wilde niets weten van deze tweede prinses. Kamatari, die officieel getrouwd was met zijn eerste vrouw, mocht er geen concubine op nahouden. De Belgen lieten hem weten dat het ongepast zou zijn om een tweede prinses aan het hof op te nemen en dat de autoriteiten alles zouden doen om dat te verhinderen. Als het moest, zouden ze haar zelfs arresteren. Mijn moeder dook onder. Ze moest zich voortdurend verbergen, maar ze kon rekenen op de steun van de bevolking en op de vrienden van mijn vader. Het werd een kat-en-muisspelletje. Natuurlijk hebben de Belgen Agrippine nooit kunnen vinden, ondanks de hulp van dezelfde lieden aan het hof die waarschijnlijk ook de hand hadden in de vergiftiging die mijn geboorte versnelde. De paleiswachten, de wijze mannen, iedereen speelde het spel mee. Er werden heimelijke ontmoetingen geregeld, men organiseerde voor de geliefden stiekem feesten waarbij de wijn rijkelijk vloeide en het paar en hun vertrouwelingen genoten van de heerlijkste hapjes.

Mijn moeder hield zich verborgen tot na de geboorte van mijn broer Pascal, die haar troef was. Haar zoon verschafte haar officiële erkenning als prinses. De koning werd gewaarschuwd en dagenlang gaven de trommels het feestritme aan. De volksvreugde was ook een sneer aan het adres van de Belgen. De verliefde prins had een zoon, een troonopvolger, en de Belgen hadden daar lekker niets over te zeggen.

De eerste echtgenote van de prins stierf kort na de geboorte van Pascal en mijn vader kon toen met mijn moeder trouwen. De rust keerde weer, de fatsoensregels waren gerespecteerd. Na mijn geboorte werd de positie van mijn moeder als echtgenote van de prins en moeder van zijn kinderen door niemand meer betwist, al hadden de vijandige takken van de familie hun verzet nog niet opgegeven.

De oudste twee kinderen van mijn vader bleven bij ons wonen, maar ze waren zoveel ouder dan wij dat ze niet echt deel uitmaakten van ons gezinsleven. Aan zijn dochter, die gehandicapt was en ergens anders woonde, heb ik maar een heel vage herinnering, want ze stierf toen ik nog klein was. Zijn zoon Comon woont nu in Londen. We kunnen prima met elkaar overweg.

Om het ingewikkelde verhaal af te maken: ook mijn moeder was al getrouwd toen ze mijn vader tegenkwam op de weg naar Kibumbu. Ze was de vrouw van prins Nimubona, een chef uit het noorden met wie ze twee zonen had. Mijn vader had dus mijn moeder geschaakt van een andere chef en nog wel met medeweten van de wijzen van het land! Mijn twee halfbroers groeiden ook bij ons op, maar ze zijn allebei al overleden.

Na Pascal en mij kwamen er nog twee broertjes, Louis en Godefroid, en twee zusjes, Baudouine en Fabiola. Er werden dus zes kinderen geboren uit het huwelijk van mijn ouders.

Je zou nog kunnen denken dat deze liefde de passie was van twee adolescenten. Dat was absoluut niet het geval: mijn vader was een man in de kracht van zijn leven, die zijn vijfendertigste verjaardag al achter de rug had. Mijn moeder moet tussen de vijfentwintig en de vijfendertig zijn geweest. Ik heb nooit geweten hoe oud ze was, waarschijnlijk wist ze het zelf niet eens: de burgerlijke stand is in ons land pas door de kolonisator ingesteld. Maar wat maakt het uit? Toen mijn moeder mijn vader ontmoette, was ze een rijpe vrouw, iedereen kon dat zien.

Voorouderlijke tradities

In Burundi was polygamie het officiële voorrecht van de koning. De koning had vrouwen in alle regio's. De koningin die aan het hof leefde, schonk het koninkrijk zijn wettige erfgenamen. De andere echtgenotes, een soort onderkoninginnen, speelden een belangrijke rol in de controle over het gedecentraliseerde rijk. Alle vrouwen kregen van de koning evenveel goederen, koeien en bedienden, iedereen hetzelfde, om geen jaloezie te wekken. Ook onder de Belgische overheersing bleef dit onwettig geworden systeem nog prima functioneren: vrouwen zijn uitstekende toezichthoudsters. Mijn oom, koning Mwambutsa IV, moet over heel het land verspreid vrouwen hebben gehad. Een vrouw in elke regio was voor koningen de beste manier om een oogje in het zeil te houden! De onderkoninginnen, bazin in hun eigen territorium, ambieerden geen hoge plaats in de erfopvolging, maar hun zonen konden, als ze hun moed bewezen, belangrijke functies krijgen.

De koning was ook de enige Burundees die zijn eigen leven mocht beëindigen. Al bij zijn troonsbestijging kozen de wijzen zijn opvolger en dat was niet automatisch zijn oudste zoon. De gedoodverfde opvolger, die ver van het hof en met jonge mannen van zijn eigen leeftijd werd opgevoed, bezorgde zijn vader regelmatig een mandje met sorghum met een afdruk van zijn voet. Wanneer de voet van de zoon groter was dan die van de vader, moest de laatste aftreden. De oude koning dronk vergiftigd honingwater en zijn erfgenaam betrok het paleis met zijn volgelingen, die hem voor de duur van zijn bewind zouden omringen. In principe heeft niemand het recht om over zijn eigen dood te beslissen, maar in bepaalde omstandigheden moest een koning kun-

nen plaatsmaken voor zijn zoon: ook als hij bijvoorbeeld levensgevaarlijk gewond was, pleegde hij zelfmoord. Op die manier
werd een machtsvacuüm vermeden.

Lokale chef en éminence grise: een levende legende

Mijn vader was dus de prins Ignace Kamatari. Hij was de broer
van koning Mwambutsa IV en diens naaste raadgever. Hij was ook
de chef van een streek die Noord-Mugamba heet. Een deel van het
jaar woonden we in Fota, de hoofdstad van deze *chefferie**. De
hutten liggen er ver uit elkaar. In de heuvels vind je ontelbare *rugo*,
dat zijn omheinde nederzettingen waar een complete familie leeft.
Je vindt in Burundi geen dorpen zoals in Europa of in West-Afri-
ka. De golvende groene uitgestrektheid wordt er onderbroken
door kleine woonkernen. Mijn vader heeft in 1940 een grote villa
laten bouwen in Fota en het jaar daarop een rechtbank vlak ernaast. Het huis bestaat nog steeds en wordt energiek onderhouden
door mijn jongere zus Fabiola. De rechtbank werd na de gebeurtenissen van 1993 door de autoriteiten afgebroken onder het voor-
wendsel dat de stenen moesten worden hergebruikt. De stapel ligt
er nog steeds en wordt elk jaar een beetje kleiner... Als chef was
mijn vader voor de boeren uit de streek ook de hoogste rechter,
een soort Salomo, en in die hoedanigheid zetelde hij in de rechts-
zaal. Omringd door de wijzen die hem de gevallen voorlegden en
hem hun mening gaven, velde mijn vader het definitieve vonnis.

Als hij niet in Fota was, woonde mijn vader in ons groene huis
in Bujumbura of bij zijn broer in het koninklijk paleis, tenzij hij
rondtoerde om de stemming in het land te peilen. Hij was erg ei-
genzinnig, heel respectvol tegen zijn broer, maar zijn status van

---

* Gezagsgebied van een stamhoofd

prins gaf hem een grote vrijheid die hij in woord en daad volop benutte. De koning kon zich veel minder permitteren. In het openbaar begroette mijn vader zijn broer met de meeste hoogachting, terwijl hij hem privé onomwonden zijn ideeën en soms ook zijn bezwaren liet horen. De tandem functioneerde fantastisch: de koning vond het prachtig dat zijn onstuimige raadgever en broer op een soms wat ongebruikelijke manier goede, moderne ideeën doorvoerde. De krachtige, originele persoonlijkheid van de prins was een geweldige troef voor de koning.

Mijn vader haatte de bezetting van het land door de blanken, de Belgen. Zij hebben helemaal niets bijgedragen tot het land. Zonder de Fransen te willen ophemelen, is het een feit dat hun koloniale bewind in Afrika toch stukken beter was. De Belgische kolonisator heeft geen enkele Afrikaanse elite gevormd. De door België bestuurde bevolkingen werden altijd in een ondergeschikte positie gehouden. Het enige wat ze in Belgisch Congo deden – nu lijkt dat volslagen belachelijk – was een handjevol mensen verheffen tot évolués. Dat waren Congolezen die de levensstijl van blanken overnamen.

Een voorval dat tekenend was voor het karakter en de ideeën van mijn vader, is de inwoners van Bujumbura altijd bijgebleven. Er stond in de hoofdstad een groot hotel, hotel Paguidas. Het werd gerund door een Griek (voor de onafhankelijkheid zaten er in Burundi veel Grieken, voor dat zeevarende volk waren de kusten van het Tanganyikameer bekend gebied). Zwarten werden in dat hotel niet toegelaten. In een gekoloniseerd Afrikaans land in de jaren vijftig was dat de gewoonste zaak van de wereld. Enkel de koning en zijn broer, prins Kamatari, mochten het hotel binnengaan en konden zich onder de blanken mengen. Op een dag besloot mijn vader dat het gedaan moest zijn met die rassenscheiding en hij riep iedereen binnen die toevallig passeerde, boeren, straatventers, bedelaars: 'Kom, vooruit, kom binnen!' En hij gaf opdracht om dat beteuterde volkje een drankje te serveren aan de bar. De onwillige Congolese obers waren wel verplicht om die vreemde klanten te bedienen. Wat konden ze uitrichten tegen mijn vader? Hij was omringd door zijn landgenoten. Ze dronken, aten en kletsten honderduit. Mijn vader genoot: hij kwam op tegen onrecht en racisme en tegelijkertijd amuseerde hij zich met zijn onderdanen en zette hij de Belgen een hak. Vervolgens vroeg hij de rekening, tekende die en zei tegen het verblufte hotelpersoneel: 'Stuur maar naar de Belgen,' waarop iedereen kalm vertrok. De Belgen hadden veel ontzag voor die goedgebekte prins met zijn lengte van 2,15 meter. De stunt in hotel Paguidas werd nog jarenlang opgehaald in alle sociale geledingen van Bujumbura.

Nog steeds is mijn vader in Burundi een legendarische figuur. De jongeren hebben hem niet meegemaakt, maar ze kennen de verhalen over zijn fysieke kracht en zijn integriteit; hij is een symbool geworden. Hij verafschuwde onrecht, was dol op kinderen en had diepe eerbied voor oudere mensen, die hij altijd groette en hielp. Papa Kamatari hechtte aan discipline en de militairen waardeerden hem omdat hij kracht en stiptheid belichaamde. Hij hield van orde en regelmaat: de ploegvoren op de akkers moesten lijnrecht lopen! De enkele keren dat hij echt uit zijn slof schoot, was het tegen de blanken. Als men nu in de heuvels over prins Kamatari spreekt, wordt erbij gezegd: 'O ja, die de blanken haatte!' Voor hem was de blanke de verpersoonlijking van onrecht en machtswellust. Ons Afrikaanse landje heeft ook geen geluk gehad met zijn koloniale bestuurders. Mijn vader, die de opvoeding van een vorst had genoten, vond het maar niets om te moeten overleggen met een ondergeschikte ambtenaar. Uit het oogpunt van lokale economie bezien vond hij de Belgische maatregelen onzinnig. 'Handen af van mijn streek,' vond mijn vader, en helemaal als het over zijn eigen *chefferie* ging. Experimenten met kwekerijen in Isabu konden nog net. Maar de lokale bevolking zonder enige uitleg dwingen om nieuwe gewassen te planten: uitgesloten. Koffie verbouwen die alleen door de blanken werd gedronken: *njet*. Tenzij men eerst met de mensen overlegde en ze vertelde wat het voordeel ervan was. Mijn vader was voorstander van democratie, hij respecteerde altijd de mening van de wijzen zonder wie er niets werd beslist, want zij vertegenwoordigden de bevolking.

Als hij al praatte met de vertegenwoordiger van de koning der Belgen, de gouverneur, was hij altijd op zijn hoede. Wanneer de gouverneur hervormingen wilde opleggen of maatregelen voorstelde waar de koning en zijn broer tegen waren, begrepen ze plotseling heel toevallig even niet waar het over ging. Ze rekten tijd en pleegden passief verzet. Ze vroegen om tolken Frans en Swahili, dat in het gebied van de Grote Meren onder Belgische overheersing de voertaal was. Er ontging ze natuurlijk geen woord, maar ze deden of ze de tolken testten en dan eisten ze dat die vervangen werden. Het was een manier om tijd te winnen, maar ook om respect te eisen voor hun eigen taal, het Kirundi, en voor hun land. Mijn vader was een nagel aan de doodkist van de blanke bestuurders, voor wie het belang van Burundi ondergeschikt was aan hun eigen landsbelang. De koning was diplomatieker, maar de prins deed wat zijn hart en zijn ideeën hem ingaven. Soms gebruikte hij daarbij zijn vuisten. Geen enkele Belg kon op tegen die gigant!

Mijn vader stapte eens incognito binnen in een bar in Bujumbura. Zijn veelvuldige wandelingen waren verkapte inspectietochten om te weten te komen wat er leefde onder de bevolking. Hij dook altijd op waar men hem het minst verwachtte. Iedereen kende hem, behalve Belgen die net in Burundi waren. Die dag zag hij hoe een Burundees werd uitgescholden door een blanke die niet wilde dat hij een biertje bestelde. Mijn vader werd razend en smeet de Belg met stoel en al naar buiten op het plein dat later 'Onafhankelijkheidsplein' gedoopt zou worden. Opschudding! Een zwarte reus die een blanke in een zware leunstoel door de ruiten keilde. Vervolgens vroeg mijn vader doodgemoedereerd zijn landgenoot te bedienen. Het ging onder protest, maar de man kreeg uiteindelijk toch zijn biertje. Thuis heeft hij het voorval aan iedereen verteld en het verhaal deed overal de ronde.

Ik heb me laten vertellen dat prins Kamatari al toen hij nog jong was, in de jaren veertig, dat rechtvaardigheidsgevoel bezat en al net zo heftig reageerde. Een *muhashi*, een Belgische verkeersagent, deelde rondrijdend op zijn motor aan de lopende band bekeuringen uit. Op een dag sloeg hij een voorbijganger en duwde hem het ravijn in. Mijn vader was toevallig in de buurt en hoorde van een getuige wat er was gebeurd. Het kostte hem weinig moeite de agent te vinden en hij nodigde hem uit voor een drankje in een van de cafés waar blanken kwamen. Ze kletsten wat en mijn vader nodigde de man uit voor een tochtje achter op zijn motor. Een tochtje op de motor van de prins, daar zeg je geen nee tegen. Auto's waren er nog nauwelijks in Burundi. In heel het land reden nog maar vijf motoren rond en de wegen verdienden nog nauwelijks hun naam. De mannen vertrokken uit Fota naar Mwaro, toen naar Bujumbura en kwamen langs een andere route weer terug. Mijn vader maakte er een sport van om alle kuilen in de weg op te zoeken en door alle rivieren te raggen. Zijn passagier zag groen en geel. Mijn vader nam de *muhashi* toen mee naar de plek waar hij zijn slachtoffer had geslagen. Daar gaf hij hem een koekje van eigen deeg door hem in het ravijn te wippen waar de onfortuinlijke passant juist weer was uitgekropen. De Belgen zijn nog officieel gaan protesteren bij Mwambutsa IV, maar die hield zich doof. Hij wist hoe populair mijn vader was bij de bevolking. In plaats van zijn broer aan te pakken over zijn woede-uitbarstingen en zijn wraakoefeningen, gaf hij hem een knipoog. Voor de vorm las de koning mijn vader weleens de les, maar eigenlijk vond hij het prachtig dat zijn broer durfde te doen wat hij zichzelf niet kon veroorloven.

Papa Kamatari op zijn beurt benaderde Mwambutsa altijd heel respectvol. Ooit brachten de koning, de prins en de chefs met heel hun gevolg een officieel bezoek aan het naburige Rwanda, waar ze koning Mutara Rudahigwa ontmoetten. De Rwandese delegatie vertelde later hoe respectvol mijn vader bijna op zijn tenen naast zijn broer liep. Dat herinnerde iedereen zich nog. Nooit zou mijn vader zich in het bijzijn van de koning een misstap hebben veroorloofd.

Elke dag pret

Prins Kamatari, houder van rijbewijs nummer 12, reed in een schitterende hemelsblauwe Mercedes. Die opvallende wagen was beroemd in heel het land, waar de weinige auto's allemaal zwart waren. Behalve de Belgische officials bezaten alleen de koning, de prins en enkele missionarissen een auto. De pastoor reed op een motor. We zaten eens met zijn allen op de achterbank van de Mercedes, toen we een kleine groene Volkswagen tegenkwamen, het eerste exemplaar in Burundi. Papa vond hem zo leuk dat hij stopte en de eigenaar ervan voorstelde om te ruilen: de hemelsblauwe Mercedes tegen die grappige groene 'kever'. De eigenaar was vast verrukt over die buitenkans. Hij zou het trouwens niet gewaagd hebben om de prins teleur te stellen. De zaak werd beklonken. We werden allemaal in de Kever gepropt, mijn boomlange vader vouwde zich achter het stuur en zo reden we haar huis. Mijn stomverbaasde moeder zag ons een voor een uit een Volkswagen kruipen. Na een tijdje ruilde mijn vader die wagen weer met de oorspronkelijke eigenaar voor de berline, die beter paste bij zijn status, zijn lichaamslengte en bij de grootte van zijn gezin.

De verbeelding, de zwier en de uitstraling van de prins maakten mijn kindertijd een groot feest. We waren gek op hem. Zodra hij zich kon vrijmaken, was hij er helemaal voor ons en we beleefden magische momenten met hem. Ik hoor nog ons geschater als ik terugdenk aan onze schommelpret. Papa strekte zijn armen wijd uit, mijn broertje Louis en ik gingen eraan hangen, iemand gaf ons een duw en we schommelden er zalig op los. Er werd gezegd dat papa de sterkste man van Burundi was, en ik was daar heilig van overtuigd. Hij was ook heel muzikaal, hij speelde orgel, citer en accordeon. In de kerk en op de feestdagen thuis zong hij in het Latijn en zijn diepe stem bracht zijn gehoor in vrome vervoering. Hij kon prachtig tekenen en ik keek ademloos toe als hij met losse pols vogels en andere dieren voor ons op papier toverde.

Bij de zusters

Mijn jeugdjaren speelden zich af in Fota en in Bujumbura. Vanaf mijn vijfde jaar zat ik in Kiganda, niet ver van Fota, bij Belgische missiezusters op het internaat van een school voor kinderen van de boeren uit de wijde omtrek. Voor meisjes was het een voorrecht om naar school te mogen. Voor hun familie waren het bescheiden schoolgeld en de kosten van het schooluniform en schoolspullen een financiële aderlating. Bovendien liepen die ouders ook nog eens het inkomen uit de arbeid van hun kinderen mis. Voor arme boeren betekende een opleiding voor hun kinderen, en vooral van hun dochters, een investering in de toekomst.

De zusters met hun driepuntige kappen, alleen hun gezichten en handen staken uit hun witte kleed, zorgden voor een fijne sfeer in het pensionaat. Het waren heel aardige vrouwen, hoewel hun habijt, symbool van gezag, ons vrees inboezemde. En ze waren nog blank ook... Ik ging maar drie keer per jaar met vakanties naar huis, en dat was niet veel voor zo'n jong kind. Op het internaat was ik een leerlinge zoals alle andere. Toch werd ik, zonder dat ik het merkte, onopvallend streng in de gaten gehouden. Er werd gelet op mijn veiligheid en onberispelijk gedrag. De opdracht luidde: 'Ze moet zich gewoon gedragen, maar toch een voorbeeld zijn.' In het begin kreeg ik nog wel een prinsessenbehandeling. In de klas en op de speelplaats hoorde ik bij de andere kinderen uit de streek, internen net als ik, maar ik at en sliep bij de zusters. Die woonden apart in een gebouw dat uitkeek op de binnenplaats van het internaat, zodat ik toch nog contact had met mijn vriendinnen en eten met ze kon ruilen. Ik at liever hun volksvoedsel van bonen, zoete aardappelen en maniok, met 's ochtends een kom thee, dan de soep en het vlees die ik bij de zusters kreeg. Op zondag kregen de internen rijst gebakken in oranje palmolie en ik zou mijn ziel hebben verkocht voor die lekkernij! Zover ging ik niet, maar ik ruilde mijn eten met ze tot ons handeltje werd ontdekt en mijn moeder werd ingeschakeld. Ze begreep gelukkig dat ik liever bij mijn vriendinnetjes was en besliste dat ik moest oversteken naar het andere gebouw. Toen was het ook gedaan met de voorkeursbehandeling.

De verandering bracht me nader tot mijn vriendinnen. We sliepen in grote slaapzalen, waar zo'n honderdvijftig bedden in het gelid stonden, op een stromatras die we zelf opvulden met maïsbladeren. Na elke vakantie moesten de bladeren worden ververst en elke ochtend moesten we die grote blauwe zakken opschudden zodat ons bed er netjes bol uitzag. Het verschil tussen mij en de andere leerlingen verdween niet helemaal toen ik bij ze introk. Zij bleven zich nog erg bewust van mijn status. Voor mijn vriendinnen bleef ik een prinses, dat was duidelijk, maar wat maakt je een beter mens: ander eten of gedrag dat een goed innerlijk weerspiegelt?

Van lieverlee begon ik de verantwoordelijkheid te voelen die er op onze familie rustte. Voor mijn ouders was ik een extra schakel in de band tussen prinsen en bevolking. Ik was een goede leerling en een levendig kind. Als reactie op mijn strikte opvoeding was ik nogal ongedisciplineerd. Ik was ook een koploopster en kreeg voortdurend op mijn duvel. Ik betaalde een hoge prijs voor het feit dat ik altijd weer het voorbeeld moest geven! Achteraf bezien denk ik dat ik het normaal vond. Ik herinner me dat ik een keer als straf voor mijn geklets in de klas met gespreide armen en een woordenboek in elke hand urenlang op mijn knieën op de binnenplaats – waarop alle klaslokalen uitkeken – moest zitten. De boodschap was duidelijk: als zelfs de dochter van de prins niet werd ontzien, moesten alle anderen dubbel uitkijken!

Buiten ons schoolwerk moesten we de zusters helpen in de huishouding. Sommige kinderen werkten op het veld en in de tuin, andere maakten de groenten schoon of veegden de klassen aan. Werd ik dan toch voorgetrokken en vertroeteld? Hoe het ook zij, ik kreeg altijd de makkelijkste klusjes, zoals het aanvegen van het helemaal niet stoffige kantoortje van de zuster-overste of een beetje tuinieren voor het zusterhuis. Mijn zusjes en ik hebben ons vaak gelukkig geprezen dat we al jong hebben geleerd met een strijkijzer of met een hakmes om te gaan.

Op zondag werden de teugels wat gevierd. We stonden een uur later op, om zes in plaats van om vijf uur! Na het 'uitslapen' was het groot toilet, poedelen en douchen, gevolgd door gebed en huishoudelijke taken. De hoogmis, die om tien uur begon, leek ons eindeloos lang: in de missiekerk duurde hij bijna twee uur. We liepen er in onberispelijke slagorde naartoe, vierhonderd meisjes in het gelid, onder toezicht van twee of drie nonnen. We marcheerden het schoolterrein af, langs de lagere school, langs de cederhaag rond de jongensschool en rechtuit naar de grote kerk van Kiganda. Op dat traject ontsnapten onder dekking van de leerlingenmassa een paar meisjes, onder wie ik, door een gat in de heg om fruit te plukken in de boomgaard van de zusters. Bliksemsnel namen we onze plaats in de rijen weer in, de buit onder de lange rokken van ons grijze schooluniform. Na de mis aten we die rustig op. De zusters hebben vast niet veel aardbeien gegeten, want dat waren onze lievelingsvruchten! Ik weet bijna zeker dat ze ons spelletje best in de gaten hadden, maar dat ze het een eerlijke verdeling van de opbrengst van de aarde vonden. Dat besef was diepgeworteld in Burundi, zoals ook blijkt uit het *umuganuro*-feest.

Als prinsjes en prinsesjes zaten mijn broertjes, zusjes en ik bij grote officiële feesten op de eerste rij, vooral bij de *umuganuro*, vroeger een hoogtijdag op de landbouwkalender. Bij de *umuganuro* gaf de koning de bevolking toestemming om te gaan zaaien en zegende hij het zaaigoed. Uit heel Burundi kwamen mensen naar het hof om de feestelijkheden bij te wonen. Tamboers uit heel het land kwamen trommelend uit heuvels en dorpen, verzamelden zich en trokken met duizenden naar de oude koninklijke hoofdstad Muranwya. De diepere betekenis van de *umuganuro* was de herverdeling van aardse goederen. De koning, als meester en bezitter van het land, zorgde ook voor de armen en de behoeftigen. Om de kloof tussen arm en rijk symbolisch te dichten verdeelde hij goederen die hij weghaalde bij de zijnen. De wijzen wezen hem op verdienstelijke en noodlijdende mensen, aan wie de koning koeien en kuddes uitdeelde. Hij deed dat als plaatsvervanger van Imana, de god van de Burundezen, en in zijn rol van bemiddelaar tussen god en de mensen. De Belgen vonden dat feest maar niets. Het gaf de koning naar hun smaak te veel invloed en het strookte bovendien niet met hun actieve kerstening van het land. Stukje bij beetje hebben ze het feest van zijn betekenis ontdaan, ontwijd en ten slotte verboden. De laatste vieringen die ik als kind nog heb meegemaakt waren eigenlijk nog maar een leeg omhulsel, maar in mijn ogen bleven ze van een meeslepende magie.

Die rituelen voerden terug naar een ander tijdperk en sommige gebruiken komen nu barbaars over. Er werden mensen vertrapt door de kuddes. Het offer van hun leven leverde hun families weer honderden koeien op. In die tijd betekende een grote kudde veel kracht. Met het verdwijnen van de oude rituelen ging ook een deel van de Burundese ziel verloren. De symbolische herverdeling van bezit en een volk dat in de zaaitijd samenwerkt waren krachtige, eenheidsbevorderende beelden. Van Hutu en Tutsi was nog geen sprake. Het volk was één.

Na de zondagsmis gingen we terug naar het internaat en brak er een langverwacht moment aan: de kostschooldeuren gingen open voor het familiebezoek. Ik kreeg geen bezoek: mijn ouders hadden het te druk en Fota was te ver weg. Met bezwaard hart keek ik naar de hereniging van mijn vriendinnetjes met hun familie. Maar ik deed liever iets dan te gaan zitten somberen. Toen ik mensen uit mijn streek ontdekte die mij kenden, maakte ik schaamteloos misbruik van mijn status en bestelde gewoon een bezoek bij ze: 'Volgende zondag kom je bij mij op visite.' Ik verlangde ernaar om mijn naam te horen afroepen, ik wilde ook iemand ontvangen in de bezoekersruimte! En om het feest compleet te maken bestelde ik bij mijn bezoekers mijn lievelingsdrankje, een lemen kruik met bananenwijn in een cadeauverpakking van bananenbladeren. Iedereen dronk uit dezelfde kruik met zijn eigen bamboestrootje. Ik trommelde mijn beste vriendinnetjes op en ik showde mijn cadeautjes. Dat ze min of meer op bevel waren gegeven maakte niet uit! Mijn zondagsvrienden waren verre verwanten of gewoon mensen uit de *chefferie* van mijn vader die nieuwsgierig waren naar de dochter van de prins. Mijn vader wist van mijn foefjes (in de heuvels blijft niets geheim) en beloonde mijn bezoekers op zijn beurt weer met geschenken. Die uitwisseling was uiteindelijk voor mij een lesje in omgang met mensen en een manier om te oefenen voor mijn rol. Waarschijnlijk kwam de bananenwijn die ik kreeg ook nog uit onze eigen voorraad!

Ik zag mijn familie alleen maar tijdens de vakanties, maar ik kreeg regelmatig nieuws van thuis. In de eerste plaats via mijn zondagsbezoek en ook door een stofwolk langs de weg. Mijn vader kwam vaak in de buurt. We zagen dan zijn blauwe Mercedes langskomen, die nooit stopte, maar wel bewees dat mijn vader er nog was. Toen ik hem een keer vroeg om toch af en toe even halt te houden, zei hij kortaf dat er voor een gewoon kind als ik geen enkele reden bestond voor een bijzondere bezoekregeling.

Mijn vriendinnetjes kregen post, die eerst door de nonnen werd gelezen. Zondags, na de mis, gaven de zusters de meisjes hun brieven, terwijl ik toekeek. Mijn familie liet wel van zich horen, maar op een andere manier. Die brievenuitreiking was altijd een moeilijk moment voor me. Ter compensatie las ik veel en ik vertelde heel de slaapzaal over de liefdesromans die ik te pakken had gekregen.

Rond mijn tiende jaar ben ik een keer weggelopen. Ik wilde terug naar Fota, ik miste mijn moeder en de familie die ik al een hele tijd niet meer had gezien. Ik verliet het internaat na de les, rond vier uur 's middags, samen met een paar buitenleerlingen die naar hun *rugo* teruggingen. Ik liep elf kilometer naar Fota. Daar ging ik naar de garage waar ik mensen kende die mijn vader nog hadden grootgebracht en die ook voor ons hadden gezorgd. Eindelijk was ik thuis, maar ik durfde me niet te vertonen aan mijn moeder, die vast al had gehoord dat ik was verdwenen. Ik bereidde me voor op de aframmeling van de eeuw. Voor ik me naar binnen waagde, bleef ik nog een hele tijd rondhangen bij de bedienden, die me erwtjes met saus voerden: 'Eerst goed eten, weet je veel wat je te wachten staat,' was hun opbeurende raad. Ten slotte bracht ik de moed op om mijn moeder te gaan begroeten, die zo hartelijk als een ijsblok en onbuigzaam als het gerecht mijn uitleg afwachtte. En ik verlangde er zo naar haar om de hals vallen! Ik biechtte haar op dat ik haar zo miste, dat ik ongelukkig was. Onaangedaan antwoordde ze: 'Hoeveel leerlingen heeft de school?' 'Vierhonderd,' snotterde ik. 'En zijn de andere kinderen ook naar huis gegaan, verlangen die niet naar hun moeder?' Ze stuurde me naar mijn kamer, waar ze me met eucalyptustakken een lesje gaf. Dagenlang heb ik niet kunnen zitten, ik moest naar de ziekenzaal van het internaat om mijn achterste in de zalf te laten zetten. Ik had in elk geval lekker gegeten! Wat een paniek had ik veroorzaakt in het pensionaat. Voor de zusters was het een onvergeeflijke nalatigheid om de dochter van de prins uit het oog te verliezen. Heel Kiganda werd ingeschakeld, de bewoners, de priesters. Met honden werden velden, rivieren en ravijnen uitgekamd. Mijn vriendinnen werden ondervraagd, maar die wisten van niets. De missiepost werd tot in de kleinste hoeken doorzocht. Met lantaarns ging men de velden in, er werd gedregd in rivieren. De zusters hebben heel de nacht gebeden. We hadden thuis nog geen telefoon om te kunnen melden dat ik ongedeerd was. De volgende dag bracht mijn moeder me terug in haar Peugeot 203. Het nieuws snelde ons vooruit: Esther zit op de achterbank. Opluchting alom! Onder toezicht van mijn moeder heb ik op mijn knieën vergeving moeten vragen, eerst aan de ons tegemoet gesnelde zusters, toen klas voor klas in de meisjesschool, en klas voor klas in de jongensschool: 'Ik ben stout geweest, vergeef mij, ik zal het nooit meer doen.' Dat was een idee van mijn moeder, de zusters hebben me nooit bestraft. De hele *chefferie* van Fota wist een paar uur later al dat ik vergiffenis had gevraagd en dat de dochter van de prins een voorbeeldige ootmoedigheid had getoond. Na die fysieke en morele opdoffer had ik natuurlijk geen trek meer om ooit nog weg te lopen. Ik was voorgoed genezen.

Dat was de grootste flater uit mijn kindertijd. Ik had de missie voor schut gezet en een hele organisatie in opspraak gebracht. Als me iets was overkomen, als ik zou zijn verdronken of me had verwond, zouden er koppen zijn gerold. Nu werden er alleen disciplinaire maatregelen tegen een paar onderwijzeressen en oppassers genomen en werd de bewaking verscherpt. Voortaan werd bij het uitgaan van de school om vier uur gecontroleerd wie het terrein verliet. Daarna gingen de deuren direct op slot.

Niet ver van het pensionaat woonde een man die piepkleine broodjes bakte, die aan elkaar geplakt uit de oven kwamen. Hij leeft trouwens nog altijd en heet Ntorisenge, wat 'Ik raap centen' betekent. Zijn broodjes kostten namelijk een centime. Wij vonden hem schatrijk met al die centimes! Zijn broodjes waren zalig en ik was gefrustreerd dat ik ze niet kon kopen: ik had geen zakgeld. In het pensionaat kreeg je alles wat je nodig had, maar geen extratjes. Dus leende ik een paar centen of misbruikte ik mijn reputatie om bij Ntorisenge te poffen. Maar algauw vertelde ik mijn vader over de broodjes en de bakker – bij mijn moeder maakte ik geen schijn van kans – die ik de hemel inprees. Hij zocht hem op, betaalde mijn schulden en opende een rekening voor me. Als ik voortaan met mijn vriendinnen meeging naar de bakker, kon ik zoveel broodjes eten als ik maar wilde. Ik tastte toe en deelde ook royaal uit. Ik dacht nog dat het een mooi gebaar van de bakker was. Ik had geen idee dat de zaak van tevoren geregeld was.

De grote tegenstrijdigheid van mijn kindertijd was dat ik erg mijn best deed om geaccepteerd te worden, niet op te vallen behalve dan door mijn eigen verdiensten, mijn houding of mijn persoonlijkheid, maar dat ik voortdurend werd ingehaald door mijn status van prinses, waarvan ik bepaalde kanten trouwens buitengewoon waardeerde. Politiek hield me toen absoluut niet bezig.

Elke donderdag moesten we gaan biechten, de nonnen waren op dat punt onverbiddelijk. Hoe bedenk je elke week weer een zonde om te bekennen? Onze priester, die heel ruimdenkend was en afwist van onze zondagse fruitroof, begreep heel goed dat een kind van tien zich nog niet van veel zonden hoeft te reinigen. Hij zei dat we ons niet moesten afmatten om ze uit te vinden. Om de biechttijd te vullen snuffelde ik tijdens mijn bezoekjes aan de priester verrukt in zijn bibliotheek en las ik de avonturen van stripheld Bob Morane. Hoewel ik niet erg godsdienstig was, respecteerde ik nauwgezet mijn religieuze verplichtingen in het pensionaat en alles verliep prima. Ik was dol op de theatrale kant van godsdienst. Tijdens de paasprocessies en in de Mariamaand was ik als eerste verkleed. Ik heb verschillende keren de rol van de Heilige Maagd gespeeld, ik was ook engel en strooide met een vorstelijk gebaar bloemblaadjes over de toeschouwers en op de grond. Ik zou een godsdienstige processie nooit durven vergelijken met een modeshow. Maar het drukke extraverte kind en de op ontdekkingen, contacten en actie beluste volwassene ontmoetten elkaar in zulke religieuze en toch profane stoeten.

Een verlichte opvoeding

Ik heb de beste herinneringen aan die jaren bij de zusters van Kiganda. Het onderwijs was vanzelfsprekend in het Frans. Enkele jaren later leerde ik de grondbeginselen van het Vlaams-Nederlands op de Stella Matutinaschool, waar die taal verplicht was. Ik weet nog één Nederlandse zin: 'Ik ben een jongen.' In het dagelijkse leven, thuis en met mijn schoolvriendinnen, spraken we Kirundi, dat ik na dertig jaar in Frankrijk te hebben gewoond, nog steeds vloeiend spreek. De zusters spraken wel een beetje Kirundi, maar we lagen krom als we ze hoorden praten en we imiteerden hun accent schaamteloos. Tijdens de mis konden ook de boeren zich vaak niet inhouden en proestten achter hun hand omdat, zoals in alle talen, de betekenis van woorden soms afhangt van de uitspraak. De pastoor die tijdens de Latijnse mis moedig in het Kirundi preekte, vertelde af en toe ongewild pikante dingen.

Op het pensionaat van de lagere school kreeg ik Frans, aardrijkskunde, geschiedenis en rekenen. Ik was een leerling zonder problemen. Op de lagere en middelbare school blonk ik uit in het Frans. De aardrijkskundelessen interesseerden me niet en stimuleerden me niet om de wereld te gaan verkennen: die vreemde landen hadden geen betekenis. Mijn eigen wereld was zo mooi dat ik geen enkele behoefte voelde om ergens anders te gaan kijken.

Elke donderdag kregen we praktijkles in landbouwtechnieken. De klas werd verdeeld in groepjes die elk een lapje grond kregen toegewezen. Om de grond te verbeteren en het mooiste stukje land te krijgen, hadden we mest nodig. We trokken dus met een hele club, manden op het hoofd, naar weiden waar koeien stonden. Tijdens het afgedwongen zondagsbezoek had ik al met de boeren geregeld dat ik mest van ze kreeg. In alle *rugo* werd het rondverteld: 'Bewaar je mest voor de dochter van de prins.' Opgewekt vertrokken we dus uit het pensionaat, liepen langs de grote missiepost van Kiganda, waar de processies plaatsvonden, dan langs het voetbalveld dat ook werd gebruikt voor belangrijke ceremonies en verdwenen achter de heuvel, uit het zicht van de nonnen en de paters. Op de afgesproken plaats gaven de boeren ons te eten en te drinken en we bleven er de hele middag onder de eucalyptusboom zitten kletsen. Het was een uitgebreide picknick en des te leuker omdat de andere meisjes op datzelfde moment de velden afstroopten op zoek naar mest. Toen het tijd werd om terug te gaan, droegen de boeren onze manden tot op het punt vanwaar de zusters ons zouden kunnen zien. Daar namen we de last over... en onze aanplant leverde ons de hoogste score van de praktijklessen op. In de velden genoten we van de vrijheid: er was geen tucht en we konden er vrijuit lachen en praten.

Onder de zusters had ik een paar favorieten. Een Burundese zuster, misschien wel een ver familielid, verwende me, heel onopvallend om geen jaloezie te kweken. Een andere zuster, een blanke, had de bijnaam Nyamudo (Kirundi voor 'mankepoot'), omdat ze kreupel was. Ze was vreselijk netjes en tijdens ons zondagscorvee zorgde ik altijd dat ik haar kantoor moest aanvegen, wat het lichtste werkje was. Ze zette altijd geraniums op een gehaakt kleedje in het catechismuslokaal. Ze aanbad pater Verkest, de aalmoezenier van de school. Hij was zijn rechterbeen kwijtgeraakt door een auto-ongeluk en liep met een houten been. Als we zuster Nyamudo met haar geraniums zagen, wisten we dat de hinkende pater in aantocht was en aapten we hem allemaal na. Dat houten been was een grote attractie, want zoiets hadden we nog nooit gezien. Als de pater op de knop drukte om het been te buigen, bijvoorbeeld bij het beklimmen van het preekgestoelte, gaf dat een sissend geluid, een heel speciaal 'pssst'. En omdat een ongeluk nooit alleen komt, had hij ook nog een kunstgebit. Hij veroorzaakte een keer wilde paniek in de rijen kerkgangers door het uit zijn mond te nemen, vermoedelijk om medelijden op te wekken voor al zijn ellende. Op ons Afrikaantjes die verhalen kenden over mensenetende blanken, had de aanblik van dat gebit, waarin we het instrument van onze op handen zijnde marteling zagen, een verpletterend effect: gillend gingen we ervandoor. Dat been ging nog, maar het gebit, o nee!

Wat hartsaangelegenheden betreft, was het behelpen in het pensionaat. Iedereen zat in hetzelfde schuitje. Als je verdriet had, huilde je een potje en de vriendinnen vervingen je familie. De groten ontfermden zich over ons. De verdrietjes raakten gauw bekend, en er was altijd wel een ouder meisje, misschien wel een nichtje, om je te troosten. Alles werd als kinderen onder elkaar geregeld. Maar ik had een probleemloze kindertijd en een puberteit zonder grote drama's. Daarvoor hadden we helemaal geen tijd, we waren altijd buiten en hadden het altijd druk.

En dan was er nog zuster Armandine, die Rubasha (Kirundi voor 'macht') werd genoemd. Ze klom op ladders, commandeerde de werklui, fietste, had verstand van elektriciteit en luidde de ochtendklok. Ze was de 'sterke man' van de zusters, ze was streng maar rechtvaardig. Ze heeft pas gevierd dat ze vijftig jaar missiezuster in Burundi was.

Verantwoordelijkheidsgevoel

Behalve met bomen klimmen, ging ik nooit ergens te ver in. Als kind al werd mijn gedrag beïnvloed door een diepgeworteld plichtsbesef. Diep in mij fluisterde een stemmetje: 'Dat mag niet, want ik ben de dochter van de prins.' Als ik iemand iets onbehoorlijks zag doen, was het mijn rol hem of haar daarvan af te brengen. Ik was niet voor niets de dochter van de prins, die rang bracht ver-

antwoordelijkheid met zich mee. Ik had het geluk maatschappelijk aanzien te hebben, ik kreeg een opvoeding en een opleiding,
maar daartegenover stond dat ik moest meewerken met mijn vader, moeder, het hof en de koning. Ik was een schakel en ik kon alleen maar een sterke schakel zijn als ik me tegenover mijn vriendinnen en mijn zussen onberispelijk gedroeg. Het werd nooit zo
gezegd, maar zo was het wel.

Mijn ouders hadden de school duidelijke instructies gegeven.
Als er in mijn groep iemand iets uithaalde, vroegen de zusters:
'Wie heeft dat gedaan?' Als niemand opstond om te bekennen, was
ik altijd de pineut, omdat ik nu eenmaal een aanstookster was die
heel wat op haar kerfstok had, maar vooral omdat ik een prinses
was. Geen enkel vergrijp mocht onbestraft blijven en bij gebrek
aan een schuldige ging de straf naar mij. Het was niet gemakkelijk,
het was onrechtvaardig, en ik heb heel wat af gehuild zonder dat
iemand me troostte, maar ik herstelde me snel en haalde mijn
gram bij de meisjes die me erin hadden geluisd. We vochten het
meteen uit en soms kwamen daar net als bij jongens ook echt
vuisten aan te pas. De groten sprongen ertussen als de vereffening
uit de hand liep. De echt schuldigen kwamen me later beschaamd
om vergeving vragen of namen bij wijze van schuldaflossing mijn
corvees over. In het pensionaat bleef niets verborgen en de ouders
kregen wekelijks een rapportage. De ouders van de meisjes die mij
in de problemen hadden gebracht werden op de hoogte gesteld en
straften hun dochters als ze thuiskwamen. Het volgende trimester
verliep al beter.

Welgemanierdheid, een goede houding, een tik met de liniaal
op je vingers, rechtop zitten in de klas, handen gekruist op de rug
houden, dat alles geeft iemand de allure van een mannequin. We
mochten alleen onze armen loslaten om een vinger op te steken en
zo konden we ook niet op de banken krassen.

De gebedsretraite voor het paasfeest duurde vier dagen; er waren geen lessen, alleen corvee en gebed. Je mocht vier dagen niet

praten. Lezen mocht wel, maar lang niet alles. Ik troggelde de oudere meisjes een paar romannetjes af. Ik verstopte die in mijn bijbel en knielde voor het beeld van de Heilige Maagd, waar de grond bedekt was met zand en grind, er groeide geen sprietje gras. Na zulke dagen waren mijn knieën helemaal ontveld. Zodra er een surveillerende zuster naderde, sloeg ik snel de bladzijde om en en deed ijverig of ik verdiept was in mijn bijbel. Ik verslond profane lectuur terwijl de zusters mijn vroomheid en mijn belangstelling loofden voor de Heilige Schrift. 's Avonds maakte ik stiekem een samenvatting voor mijn vriendinnen en droeg ze het verhaal voor. Zuster Armandine had het wel door, maar ze zei niets.

Een beschamende vertoning

Aan het einde van het schooljaar kwamen papa en mama dan toch naar de missiepost voor de prijsuitreiking. Ze kwamen niet zomaar als de ouders van leerling x. Het was een officieel bezoek, met de rode loper, met tamboers en dansers. Zoals in alle scholen waar hoog bezoek komt, werden de kinderen ingedeeld naar lengte en opgesteld in rijen van drie. De boomstammen werden wit gekalkt tot een hoogte van één meter vijftig, aan de ingangen van de missiepost kwamen erebogen te staan met het opschrift: WELKOM PRINS KAMATARI. De tamboer trommelde en zusteroverste opende de feestelijkheden met een toespraakje. Elke klas deed een dansje, waarop heel het jaar lang grondig was geoefend. En dan begon het serieuze gedeelte: de uitreiking van de prijzen.

Eén jaar had ik een nul voor godsdienst omdat ik te veel praatte in de les en de vragen niet kon beantwoorden, spijbelde als ik maar even kon, kortom, omdat ik weer van alles had uitgehaald. Om een voorbeeld te stellen hadden de zusters me een beschamend laag cijfer gegeven. Dat werd niet officieel in bijzijn van iedereen aangekondigd, maar de zusters begonnen andere leerlingen af te roepen: eerste prijs voor Frans, voor wiskunde... Roerloos wachtte ik tevergeefs op mijn naam. Voor de andere vakken had ik prima cijfers. Ik durfde niet naar mijn gegriefde en beschaamde ouders te kijken. Ik had als een schildpad mijn hoofd in mijn schooluniform willen trekken en verdwijnen. Gaandeweg drong de boodschap tot iedereen door. Godsdienst was nou precies het vak waarvoor je geen nul mocht hebben. Papa reikte de eerste prijzen uit, mijn moeder de andere onderscheidingen, een ritueel dat een marteling voor me was. Toen alles eindelijk voorbij was, verliet de officiële stoet de binnenplaats voor een bezoek aan de zusters en daarna aan de priesters. Ik bleef zonder me te durven bewegen in de brandende zon staan, tot ik al mijn moed bijeenraapte en naar mijn ouders ging. Mijn moeder bekeek me grimmig en mijn vader verklaarde plechtig: 'Dat je niet nummer één bent in aardrijkskunde of rekenen is tot daaraan toe. Maar er zijn twee vakken waarbij ik verwacht dat je het voorbeeld geeft en dat zijn maatschappijleer en godsdienst. Ik wil niet weten wat je hebt gedaan om zo'n beroerd cijfer te halen, dat leg je thuis maar aan je moeder uit.' Dat betekende: pak slaag op komst. En hij ging ernstig door: 'Je verdient niet dat we voor jou naar de prijsuitreiking komen. Vandaag heb ik moeite gedaan voor iemand die de moeite niet waard is. Je gaat maar naar huis lopen.' Hij laadde alle onderscheiden kinderen in zijn blauwe Mercedes en zette ze een voor een thuis af om hun ouders te groeten en ze te feliciteren met de mooie resultaten van hun kinderen. Ondertussen liep ik, de les overdenkend, de elf kilometer naar Fota.

De zusters zijn nog lang na de onafhankelijkheid in Burundi gebleven. Enkelen zijn er nog steeds. In de jaren zeventig werden zij en de priesters vervolgd. De katholieke scholen zijn nu staatsscholen geworden. Kerken werden verbouwd tot vergaderzalen. De zusters legden hun habijten af en gingen burgerkleding dragen. Maar Burundi blijft een heel katholiek land. De bevolking stemde niet in met de genomen maatregelen.

Een kleine wereld

Thuis, vooral in Bujumbura, hadden we niet veel contact met onze ouders, die te veel in beslag werden genomen door hun maatschappelijke rol en door het hofleven. We aten zelden als gezin, maar meestal met de bedienden en de huisgenoten die op ons pasten. Het waren mensen die al voor onze geboorte aan het hof waren. Ze brachten ons groot en we zagen hen eerder als leden van een grote familie dan als personeel. Ik zocht ook vaak troost bij hen als ik verdriet had.

Mijn moeder was de perfecte gastvrouw en ze ontving vaak. Ze was niet erg toegankelijk voor haar kinderen. Je moest verschillende hordes nemen om bij haar te komen, maar ze was tot in details op de hoogte van alles wat we deden. Daarvoor had ze Ntibanyiha, een beleefde en afstandelijke man met een hoed op, die elke ochtend aan haar venster klopte. Daar begon een lang gefluisterd overleg. Mijn moeder hoorde zijn verslag van de vorige dag aan en gaf hem nieuwe instructies. Hij had een dikke stok, de stok der wijzen, bij zich. Hij had een dun stemmetje en als er iemand in de buurt kwam stokte zijn verslag. Iedereen wist dat je niet mocht storen als Ntibanyiha aan het raam stond. De verleiding was voor een ondeugend kind als ik toch te groot: ik had er stiekem plezier in om voortdurend langs te lopen en de voor mij hoogst geheimzinnige uitwisseling te verstoren. Telkens als ik passeerde onderbrak hij zijn verhaal en groette me. Ik geloof dat mijn moeder het wel grappig vond, maar binnen bepaalde grenzen. Mij werd dus al snel verzocht om op te hoepelen, zodat Ntibanyiha niet als een automaat telkens zijn hoed hoefde te lichten.

Bij de enkele plechtigheden waaraan we deelnamen (de meeste bleven ons bespaard) zaten we braafjes naast onze ouders. We waren overdonderd door het eerbetoon dat deels ook voor ons was bestemd en door al die mensen die naar ons keken. Stilaan gingen we begrijpen dat de last alleen maar zwaarder zou worden... Als de

35

dingen anders waren gelopen, zou ik ook bepaalde taken hebben moeten waarnemen. Als meisje in een patriarchale samenleving zou ik vast geen vooraanstaande plaats hebben gekregen. Men had me eventueel ter bezegeling van een verdrag met een prins kunnen laten trouwen. Mijn vader kennende, zijn vrijzinnigheid, zijn moderniteit, zijn openhartigheid en zijn respect voor het individu, weet ik eigenlijk zeker dat hij mij mijn eigen leven zou laten leiden en me nooit tegen mijn zin zou uithuwelijken. Ik zou waarschijnlijk in het buitenland hebben gestudeerd, maar ik zou zijn teruggekeerd om mijn verantwoordelijkheden op me te nemen. Ik had elke officiële rol aanvaard die hij me zou hebben toevertrouwd.

Veel later heb ik met mijn moeder over mijn kindertijd gepraat. Voor mij was zij altijd een tamelijk afstandelijk, aanbeden en indrukwekkend iemand geweest. 'Maar je was onuitstaanbaar,' zei ze jaren later. Ondanks haar strengheid wist ze altijd de juiste woorden te vinden om iets te relativeren en om te troosten. Ik hing de clown uit om haar gunsten te winnen, ik wilde koste wat het kost bij haar in de smaak vallen. Ik maakte haar aan het lachen door Russische dansen na te doen, door me te vermommen of met een sinaasappelschil voor mijn tanden. Als ze om me lachte was ik zielsgelukkig. Als ze me aan het huilen maakte zei ze: 'Later zul je me dankbaar zijn.' Mijn ouders keken verder dan het paleis, de oude monarchie en ons kleine landje. Als ik nu reportages lees over de jonge koningen van Jordanië en Marokko moet ik altijd denken aan mijn vader en aan mijn oom, de koning: ook zij stonden dicht bij hun volk en ze koesterden, een halve eeuw eerder, dezelfde verlichte denkbeelden. Bij hen was dat instinctief, zonder dat ze daarvoor politieke wetenschappen hadden gestudeerd in een van de westerse hoofdsteden.

De broertjes en zusjes Kamatari waren, ook als we in de vakanties bij elkaar waren, niet heel close. De rest van het jaar zagen we elkaar weinig. De oudsten, Pascal en ik, zaten elk op een andere kostschool en tijdens de vakanties zaten we elkaar voortdurend in de haren. We speelden nooit dezelfde spelletjes. Pascal, de oudste prins, ging waarschijnlijk al gebukt onder lasten waarvan ik geen weet had. De kleintjes interesseerden ons nauwelijks. Ons gezin was een verzameling van sterke persoonlijkheden. Op zondag ging ik liever naar de mis met vriendjes en vriendinnetjes dan met mijn familie. Op die manier vermeed ik ook de officiële begroeting van mijn vader door de pastoor en de tamboers. Ik voelde me het prettigst bij de jongens.

De wildebras van de heuvels

Ik ging tijdens de vakanties in Fota dus maar weinig om met mijn broertjes en zusjes. Ik speelde liever met de kinderen van de boeren. Ik verstopte mijn sandalen om ze 's avonds weer ongeschonden te kunnen aantrekken en er schoon mee thuis te komen, ik knoopte mijn jurkje op – een voorbeeldig meisje droeg geen pantalon, een prinses geen lendendoek zoals de vriendinnen. We liepen kilometers, we waren van 's ochtends vroeg tot 's avonds laat op pad. Ik draafde, holde en glibberde tussen de bananenplanten om kikkers te vangen. Vaak beklommen we de heuvel en hakten boven een bananenplant om die we ontdeden van de schors, die als sleetje kon dienen. Daarop hotsten we in volle vaart naar beneden, tot aan de rivier. Heel koninklijk ontdook ik doorgaans de zware klus om de slee weer omhoog te zeulen voor de volgende afdaling. Meestal deden de vriendjes dat. Het zitvlak van mijn broekje verried me. Mijn slipje versleet voortijdig onder dat energieke vermaak en mijn ondergoed moest zo vaak worden vervangen dat mijn moeder me verzocht om een kalmer spelletje te bedenken.

In Fota zagen we onze ouders meer dan in Bujumbura. Ze waren vaker aanwezig, het protocol was er minder strikt en we waren er in ons eigen domein. Het was er gezelliger en we vonden het heerlijk dat onze vader er meer voor ons was. Als je hem om geld vroeg, viste hij op goed geluk vijfhonderd francs of vijf centimes uit zijn zak. Hij deed dat ook als hij armen of bedelaars tegenkwam. Twee snoepjes kostten één centime, dus als de buit klein was, moesten we delen. Het vergde heel veel handigheid en precisie om een snoepje op een steen te leggen en in gelijke stukjes te snijden!

In Fota bedelden we bij onze vader vaak om autotochtjes naar leuke plekken. Een keer wilde hij ons niet meenemen naar Mwaro. Het is een belangrijk knooppunt op negen kilometer van Fota. Er waren winkeltjes van Grieken, je had er een grote markt, een postkantoor en een landbouwcentrum. Papa had er weer eens belangrijke dingen te doen en wilde niet met ons opgescheept zitten. Mijn broertje Louis, mijn zusje Baudouine, Godefroid, die nog maar vier jaar was, en ik vonden dat niet eerlijk. We besloten het uitstapje zelf te organiseren en we gingen met onze teckel Kigushu op pad. Mensen die ons zagen lopen dachten dat we de hond uitlieten, maar wij gingen naar onze vader in Mwaro om hem voor een voldongen feit te stellen! De tocht duurde helaas veel langer dan we hadden verwacht en ineens was het avond. Thuis waren ze ongerust geworden en het nieuws van onze verdwijning verspreidde zich snel over de heuvels. Er werden zoektochten op touw gezet. Wij zagen ineens overal lichtjes bewegen. Het waren de vrijwilligers die in de heuvels naar ons zochten. We werden snel gevonden en thuisgebracht, waar iedereen zo bezorgd was geweest dat de straf reuze meeviel.

Feest, een sociaal bindmiddel

Het Europese kerstfeest met zijn verplichte feestelijkheden en de commercie eromheen bestond voor ons niet: dat was het feest van de blanken. We waren wel katholiek en we vierden Kerstmis, maar zonder nachtmis en versierde boom. Op 25 december gingen we, schoongeboend en mooi aangekleed, met het hele gezin bij de missiepost naar de mis, waarbij papa prachtig zong in het Latijn. Voor onze eigen feesten verzamelden alle streekgenoten zich rond mijn vader. Dan liet hij een mooie koe slachten en we aten allemaal samen. Dat gebeurde bijvoorbeeld bij huwelijken, bij het overlijden van een chef of van een bekende. Hoe belangrijker iemand was, des te groter het feest.

Bij elk feest hoorden een avondwake en trommelaars. Een wake had een speciale symbolische betekenis. In de traditionele samenleving had zo'n samenkomst een belangrijke sociale, bindende kracht. Voor mijn vader waren zulke avonden niet alleen feestelijk, het waren vooral ontmoetingen met de mensen uit zijn *chefferie*. Het was een manier om de stemming onder de bevolking te peilen. De uitgewisselde cadeaus waren blijken van eerbied of van trouw, van dank, herstel van onrecht of hulp aan iemand die het nodig had. Het vreugdevuur knetterde en het ene verhaal na het andere werd opgedist. Rond die breedtegraad is het om zes uur 's avonds al donker en we hadden nog geen elektriciteit. Een wake begon vroeg en ging de hele avond door. Wijze mannen en verhalenvertellers voerden het woord, begeleid door het getokkel van de citer. Als hun verhalen te griezelig werden, moesten de kleinste kinderen naar bed. Wij, de grote kinderen, waren opgewonden en doodsbenauwd, we zagen ineens overal dreigende schaduwen. We gingen op in de menigte, we waren er niet bij, zoals in de kerk of bij officiële feesten in onze hoedanigheid van koningskinderen. Onze ouders waren in de buurt, maar we voelden ons vrij, we hoefden ons niet te gedragen als prinsen en prinsessen. We zaten gewoon rond het vuur op het grastapijt, samen met de kinderen met wie ik de heuvels af sjeesde en te midden van de kleine hofhouding van Fota, de boeren, de raadsheren, de wijzen. Kortom, te midden van onze grote familie.

Een wake was ondenkbaar zonder meneer Nsumirinda, de trouwste onder de getrouwen en een ongeëvenaard verteller met een onuitputtelijke voorraad verhalen, het ene nog leuker dan het andere. Als ik iets uithaalde, zei hij: 'Ik voorspel je, dat geeft gedonder.' Hij leeft nog steeds en telkens als ik in Burundi kom zoek ik hem op, want dan ben ik zeker van een goede, gezonde lachbui. Hij is vreselijk ijdel en draagt alleen maar pakken uit Parijs, die ik, als het even kan, voor hem meebreng.

Discipline en avonturen in de heuvels

Voor ons kinderen was mijn moeder de allerhoogste autoriteit. Zij besliste, zij strafte, zij deelde aframmelingen uit die niet mis waren. Als we haar iets te vertellen of te vragen hadden speelde ik voor woordvoerster. Ik naderde Mama Fota op mijn tenen, fluisterde haar mijn vraag in het oor en verdween weer stil als een muisje. Je moest aan het hof haast doorschijnend zijn. We mochten niet opvallen. Als er bezoek was, sprak je niet luid en je stoorde de volwassenen nooit. We hadden zoveel eerbied voor onze ouders dat ik de voornaam van mijn moeder pas leerde kennen toen ik al volwassen was.

De meisjes- en de jongensslaapkamer waren gescheiden door een gang. Je was er alleen om te slapen, want verder waren we de hele dag buiten. 's Avonds moesten we ons op een vastgesteld uur gaan wassen. Mijn vader, koploper in alles, had al in 1940 in het huis in Fota een badkuip laten plaatsen. Maar bij gebrek aan leidingen en kranen moest het bad nog worden gevuld met water uit de rivier. Dat werd tot 30 graden verwarmd. We namen om de beurt een bad, eerst de meisjes, dan de jongens. Als we er uitkwamen werden handen, oren en voeten geïnspecteerd. Voor het avondeten waren we allemaal glimmend schoon.

Mijn moeder had zich in haar hoofd gezet dat we een middagslaapje nodig hadden. En dat terwijl onze vriendjes in de heuvels speelden. Wat een ellende! Op het luiden van de klok moesten we binnenkomen. Iedereen kroop in bed en na een kwartiertje hoorden we in de gang de voetstappen van mama die kwam controleren of alles rustig was. We knepen onze ogen stijf dicht alsof we sliepen en dachten dat ze daar intrapte. Dat deed ze natuurlijk niet en ten slotte gaf ze het op en liet ons weer buitenspelen met onze leeftijdgenootjes. Soms gingen we even goedendag zeggen in een *rugo*. We werden vaak gebruikt als doorgeefluik van verzoeken, in verband met de inschrijving van een zoon op school, of problemen met het vee of met de buurt. Zoals de mensen van ons verwachtten, gaven wij die informatie keurig door aan onze ouders. Die onderzochten en regelden de problemen. Ze beseften goed hoe nuttig onze omzwervingen in de buurt waren. Wat je niet tegen volwassenen durft te zeggen, kun je wel kwijt aan kinderen. Dat is gemakkelijker, vooral in een aan strakke regels gebonden samenleving. Het was algemeen bekend dat wij boodschappen altijd doorgaven. Wij kregen op die manier zonder dat we het beseften een politieke en sociale vorming.

Wij hadden dus geen tijd voor oeverloos geklets met vermeende hartsvriendinnen... Er was het kalf dat geboren werd in de *rugo*, de enorme kudde koeien die gemolken moesten worden... We waren graag bij de herders. Ze waren bij weer en wind buiten. Ze beschermden zich tegen de regen met grote hoofddeksels die ze maakten van de schors van de bananenboom. Ze waren heel de dag alleen en om de tijd te doden beschreeuwden ze elkaar vanaf hun heuvels, ze scholden elkaar uit als het zo te pas kwam en ze vertelden elkaar verhalen. Ze spraken een poëzie waarvan we niets begrepen, maar waarnaar we met open mond luisterden. Elke koe had haar eigen naam en de herder kon al zijn dieren benoemen: die heette Juru, wat 'hemel' betekent, een andere vaars was Yajuru en een kalf luisterde naar de naam Gwajuru. De herder streelde zijn dieren, hij maakte gedichten en speelde op de citer. Het herdersvak ging over van vader op zoon. Elke herder had een bepaalde rol: je had herders die gingen melken en herders die de kudde bewaakten, zij die boter maakten in karntonnen, zij die de melk naar het paleis brachten, en de herders die de melk uitschonken, en dat alles volgens een strikte hiërarchie.

Later, toen ik in Bujumbura studeerde aan de Ecole nationale d'administration, stuurde de directeur ons een zomer terug naar onze eigen streek om de dichterlijke en strijdlustige kreten van de herders uit onze kinderjaren vast te leggen voor het nageslacht. Serieus als we toen al waren, tekenden we die geheimtaal nauwgezet op. We schreven een monument voor die mannen onder hun parapluhoeden van bananenboomschors. Hun manier van communiceren was een volkse traditie geworden. De directeur van onze school wilde er alle aspecten van inventariseren voordat de laatste gebruikers van die in onbruik rakende culturele expressie zouden zijn uitgestorven. Tegenwoordig zijn er nauwelijks meer koeien in Burundi, laat staan grote kuddes. De herders roepen niet meer naar elkaar en ze hebben hun hoeden afgezet.

Op een dag speelden we met heel de bende kinderen bij de samenloop van de twee rivieren onder Fota, net naast een afdeling van de missiepost. Onder mijn leiding hadden alle meisjes hun huid en haar ingesmeerd met ranzige boter. Het was een schoonheidsrecept voor een zachte huid dat op het platteland werd doorgegeven van moeder op dochter. Wat een stank! Mijn moeder had ons al geroken vanachter de heuvel. Er was geen sprake van dat ik zo stinkend in haar buurt mocht komen. Ik werd dus voordat ik mocht thuiskomen schoongeboend in de rivier. Om me in dat ijskoude water goed te kunnen afschrobben gebruikten de bedienden paardenhaar, dat je vel bijna meenam. De andere meisjes kregen dezelfde behandeling: als ik zo niet mocht thuiskomen, gold dat ook voor hen, want hun ouders hadden net zoveel recht op respect.

Een rechtvaardige wereld

Mijn vader hechtte slechts aan dingen die echt de moeite waard waren, maar dat konden ook kleine dingen zijn. Op een dag zag hij op een verlaten weg een oude man die over zijn stok gebogen, zichtbaar moeilijk liep. Papa liet hem instappen en nam hem mee naar Fota. Voor die oude man was het zijn autodoop. Hij mocht binnenkomen, kreeg te eten, werd uitgehoord over zijn leven, zijn familie, zijn oogsten en zijn jeugd. De oude man was snel weer opgeknapt en mijn vader besloot hem terug te brengen naar zijn *rugo*. Daar aangekomen zei de oude man tegen zijn prins: 'Nu u eenmaal hier bent, moet u ook even binnenkomen.' Tegen de wand van die simpele hut stond slechts een door zweet en stof getekende stoel die een hoogwaardigheidsbekleder hoogst onwaardig was. De grijsaard gebaarde zijn vrouw de stoel aan te bieden aan de hoge gast. De oude vrouw vouwde haar lendendoek tot een kussentje, legde die op de stoel en verdween. De oude man vroeg vervolgens aan zijn zoon om de 'maïs' te halen, maar 'niet die van de zolder'. Mijn vader had net gegeten, maar hij wilde zijn gastheer niet voor het hoofd stoten. In feite spraken de vader en zoon geheimtaal. De zoon ging een kalf uit de kudde kiezen om mijn vader aan te bieden als dank. Dat kon onmogelijk worden geweigerd. Mijn vader stond op het punt te vertrekken met zijn kalf, toen de oude vrouw weer opdook en zei: 'Zeg tegen de prinses dat jij hebt gezeten op mijn enige lendendoek. Ik heb een nieuwe nodig.' Ze kreeg natuurlijk een hele stapel mooie nieuwe lendendoeken.

Als de prins in Fota was, werd daar, net als in het paleis van Bujumbura, 's ochtends en 's avonds getrommeld. Iedereen die de prins wilde zien of hem iets wilde vragen, luisterde naar de trommels om te weten of hij thuis was. Als de mensen mijn ouders gingen opzoeken, brachten ze kruiken mee of grote manden verpakt in glanzende bananenboombladeren. Je komt niet met lege handen aan het hof. Als ze weer naar huis liepen, wilde het ontbreken van de bananenboombladeren rond een mand of een kruik zeggen: 'Het loont niet de moeite deze reizigers te overvallen, ze gaven alles weg en hebben niets meer bij zich.' In werkelijkheid gingen bezoekers nooit weg zonder geschenken van mijn ouders en waren hun kruiken en manden even welgevuld als op de heenweg.

Onze moeder, Mama Fota, speelde verpleegster voor heel de buurt. Alle woensdagen kwamen de kinderen uit de heuvels zich laten behandelen, meestal voor oogkwalen. Mijn moeder was in de leer geweest bij de missiezusters en deelde oogdruppels uit, verzorgde wonden en legde verbanden aan. Veel mensen gingen liever naar de prinses dan naar de nabijgelegen hulppost. Het was bovendien een mooie gelegenheid om het contact te onderhouden waaraan iedereen zoveel waarde hechtte. Onze moeder hield ons vaak voor: 'Het leven kan plotseling veranderen. Wees een beetje nederig.' Die menselijke contacten van toen hebben me voor altijd getekend: je kunt niet gelukkig zijn als anderen lijden.

De vrouwen bedachten graag liedjes en dansten voor de koning en de prins. Ze wasten zich eerst in de dichtstbijzijnde rivier en liepen door vers gras om met schone voeten aan het hof te komen. De vrouwen gingen aan een kant zitten, tegenover hen zaten de mannen. Dan kwam er iemand zwijgend overeind en begon in de handen te klappen, alle anderen volgden het voorbeeld en algauw zong en danste iedereen in volmaakte harmonie. Het stof woei hoog op en de felle kleuren van de gestreepte *invutano* (traditionele kleding) schitterden in de zon. Van een afstand keken de grootmoeders, met een doek om het hoofd geknoopt, naar de dansende jeugd.

In Burundi worden ouderen in alle sociale klassen op een voetstuk geplaatst. Onze grootmoeder van moederszijde, de enige grootouder die we hebben gekend, was piepklein. Ik vraag me nog altijd af hoe ze aan een dochter van 1,90 m als mijn moeder is gekomen. Met mijn 1,80 m ben ik nog de kleinste van al haar kleinkinderen. Grootmoeder ging altijd gekleed in het wit, de kleur van reinheid en zuiverheid, en ondanks haar kleine gestalte zag je haar van ver tussen de andere vrouwen in hun bonte kledij. Ze woonde in Ngozi in het noorden van Burundi en we zagen haar niet vaak. Ze zei weinig en ze was heel streng, maar als ze sprak, dan luisterde iedereen. Ze was een soort orakel en net zo autoritair als mijn moeder.

Het jachtritueel

Het landelijke leven volgde het ritme van de jacht, een gebeurtenis die beladen was met symbolische betekenissen en die belangrijk was als sociaal bindmiddel en als inwijdingsritueel. De luipaard werd geschoten om zijn vel, de gazelle gaf vlees. Een jachtpartij smeedde een verbond tussen de mannen die samen dagenlang van huis waren. Nog zie ik die dappere krijgers hun lansen slijpen, hun pijlen met gif insmeren en in de pijlenkokers stoppen, zich al met brede gebaren en opgewonden kreten verheugend op de achtervolging. De bogen staan gespannen, houten armbanden zitten om de rechterarm om straks de terugslag van de boog op te vangen als de pijl is afgeschoten. De koninklijke garde werd gevormd door de Intore-dansers in hun speciale luipaardvellen.

Tijdens de jacht leren jongens hoe ze zich moeten beschermen en wat de beste manier is om dieren te doden. Ze leren de natuur kennen, kortom, ze worden man. Als de prins op jacht ging, bleef geen man in zijn *rugo*, allemaal volgden ze hem het woud in. Als kind kon ik niet bijhouden met hoevelen ze waren, ze leken me ontelbaar. De jagers werden op de voet gevolgd door de bedienden, want al die mannen moesten eten, slapen en 's avonds worden beziggehouden door muzikanten. Ongeduldig wachtten we op hun terugkeer om de jachttrofeeën te kunnen bewonderen, om de kwaliteit van de huiden te voelen, en dat alles ging natuurlijk gepaard met het geroffel van de trommels. Mijn broers waren nog te jong om mee te mogen op jacht en ze waren stikjaloers op de oudere jongens die dat geluk wel hadden. Het vlees dat de mannen meebrachten was maar bijzaak, want in Burundi eten de mensen voornamelijk vegetarisch. De groenten zijn er heerlijk, vooral die geurige, zachte bonen die ik in Europa nooit heb kunnen vinden. Rijst werd pas in de negentiende eeuw door de Swahili uit Tanzania naar Burundi gebracht. De aarde van het land leent zich niet echt voor het verbouwen van rijst, dat beter groeit op laagland dan in de heuvels. Toch heeft de plant zich aangepast en is rijst nu bijvoorbeeld in Bujumbura bijna basisvoedsel geworden. In het binnenland zijn de mensen trouw gebleven aan hun bonen, aan bananen en aan groenten. Mijn vader, die erg gehecht was aan traditie, heeft nooit één rijstkorrel geproefd.

De jacht was vooral een sociaal evenement en een ritueel waarbij de deelnemers hun moed moesten bewijzen. Na de jacht werden alle wapenfeiten in grootse stijl herdacht en vierde men uitbundig feest. De huiden van het geschoten wild gebruikten we zelf en het vlees gaven we weg aan de Batwa (pygmeeën). Die eten graag vlees en ze zijn vooral dol op schaap en geit, dieren die wij vroeger nooit aten. Maar de gebruiken veranderen en tegenwoordig zie je steeds meer kuddes schapen en geiten. Kleinvee neemt minder plaats in dan koeien en dat is belangrijk in dit overbevolkte landje.

De vrouwen van de *rugo* waren druk in de weer om alles klaar te maken voor het feest na de jachtpartij. Voor ons, de kinderen, was het twee keer feest: als de jagers vertrokken en als ze terugkwamen. We keken angstig en vol ontzag op naar die mannen met hun grote lansen in hun felgekleurde *imbega**. De prins was trots op zijn hofhouding, op de fiere krijgers met wie hij op avontuur ging.

* Om het lichaam gewikkeld traditioneel kledingstuk van de mannen.

Heel even stonden we erbij stil of de hyena's en de luipaarden die dapperen wel zouden sparen. We hadden verhalen gehoord over jagers die nooit meer thuiskwamen. Als we die opgewekte, luidruchtige menigte dan beladen met jachtbuit zagen terugkomen, viel alle angst van ons af en dachten we alleen nog maar aan het feest.

De festiviteiten speelden zich af op verschillende plekken in het park. Iedereen had zijn eigen rol. Mijn vader zat met mijn moeder aan zijn zijde, terwijl wij alle kanten uit holden. En dan viel de avond over die gezellige saamhorigheid, over de uitgestrekte velden met sinaasappel- en citroenbomen, over de avocadobomen achter het huis: over de hof van Eden.

De koning, zijn paleis en de beroemde trommels

Het traditionele paleis van de Burundese koningsdynastie die Burundi vanaf de vijftiende eeuw regeerde, bestond vroeger uit gevlochten riet en had verschillende afdelingen die waren gerangschikt volgens de regels van een traditionele hiërarchie. Het leven speelde zich af aan verschillende hoven. Daar wist iedereen, afhankelijk van de gebruiken bij zijn voorouders, de graad van verwantschap of beroep, zijn plaats. Het moderne koninklijk paleis werd in het begin van de jaren dertig van de twintigste eeuw gebouwd door de Belgische gouverneur in Bujumbura. Mijn oom, Mwambutsa IV, had het in de jaren vijftig in gebruik genomen als koninklijk paleis. Ik heb nooit in het oude rieten paleis gewoond waar mijn oom, die als kind in 1915 koning werd, opgroeide. Ik ken alleen dat nu helaas vervallen paleis, waarvan slechts de hoge brokkelige muren nog herinneren aan het statige bouwwerk met zijn hoge plafonds, dat we zo graag zouden laten restaureren om er een historisch museum in te huisvesten.

De koninklijke tamboers kondigden de verplaatsingen van de

vorst aan. Net als de Republikeinse Garde van de Franse president waren die tamboers aanwezig bij alle grote gebeurtenissen, samen met de Intore, de dappere, onwankelbare koninklijke dansers. Intore zijn betekende: 'vechten voor mijn koning, tot de dood erop volgt'. De dansers droegen luipaardvellen die op een speciale manier waren gelooid. Om bij de Intore-garde te komen, moest iemand zijn ingewijd. Hij moest op een vastgestelde rituele manier zijn eigen luipaard hebben gedood. De koninklijke trommels werden altijd gemaakt door leden van de Abatimbo-stam, die dat voorrecht overdroegen van vader op zoon. Het maken van een trommel was altijd een bijzondere ceremonie. Die trommels hadden een schitterend geluid! Populaire hedendaagse percussiegroepen verbleken daarbij. Twee trommels waren befaamd: de heilige trommel *karyenda*, het symbool van de Burundese monarchie, klonk slechts eenmaal per jaar tijdens de *umuganuro*, het zaaifeest. Aan het begin van dat feest mocht alleen de vorst de *karyenda* bespelen. De andere trommelaars zorgden voor weerwerk. Het vel van de *karyenda* was afkomstig van een heel zeldzaam dier, de kruising tussen een zebra en een koe. De huid had een bijzondere, lichtbruine kleur. Het hout waaruit de koninklijke trom was gesneden, *cordia africana*, een houtsoort die de trommel een bepaalde resonantie geeft, werd speciaal uitgezocht in het bos. Behalve de *karyenda* was er ook nog de *rukinzo*, die door zijn omvang een indrukwekkende donkere klank geeft. Elke regerende vorst liet zijn eigen *rukinzo* maken die het ontwaken en het slapengaan aankondigden van de *mwami*, de koning, wiens dagindeling minutieus geregeld was. De *rukinzo* hield de bevolking op de hoogte van de aanwezigheid van de koning.

Ook de koninklijke prinsen hadden recht op hun trommels. Mijn vader had in de paleizen van Fota en Bujumbura zijn eigen groep trommelaars. Ik vond het heerlijk om in de vakanties in het koninklijk paleis te mogen logeren. Ondeugend als ik was, maakte ik nogal misbruik van de toegeeflijkheid en het geduld van mijn oom. De koning was kaal en ik vond het leuk om achter hem staand zijn glimmende schedel te strelen. Af en toe draaide hij zich om en zei goedig dat ik moest ophouden. Ik mocht altijd bij hem binnenlopen en ik werd de spreekbuis van volksmensen die iets wilden van het koninklijk huis. Mwambutsa's twee dochters, Régine en Rosa-Paula, waren in die tijd al volwassen en getrouwd en hij vond zo'n brutaal klein meisje om hem heen best leuk.

In het paleispark waren een hok met leeuwen, die een cadeau waren van de Ethiopische keizer Haile Selassie, en een zwembad. Ik klom vaak over de muur om mijn vriendinnetjes over te halen in het park te komen spelen. De bewakers knepen een oogje dicht uit angst voor een uitbrander als ze het lievelingsnichtje van de koning dwarsboomden.

Mwambutsa bracht me vaak in zijn cabriolet naar de Ciné Burundi, de bioscoop tegenover het paleis. Een kaartje kostte toen nog vijftig francs en een flesje Fanta tien francs. Weinig kinderen in Bujumbura hadden dat op zak. De rijksten gingen naar binnen en kwamen af en toe het verloop van de film vertellen aan hun kameraadjes buiten. De koning en ik kwamen dus per auto, hij zette me af voor de bioscoop en reed door. De menigte liet me eerbiedig voorgaan. Ik kreeg altijd de beste plaats. Soms gaf Mwambutsa me ook geld mee voor de andere kinderen, die meestal buiten moesten blijven. Alle kinderen mochten dan op zijn kosten naar de film.

Hoewel de familie overtuigd praktiserend katholiek was, kon de koning niet worden gedoopt. Als koning van alle Burundezen en spreekbuis van de god Imana moest hij neutraal blijven. Toen Mwambutsa eens een officieel bezoek bracht aan het Vaticaan, ontsnapte hij ternauwernood aan de doop. De goede paus Johannes XXIII wist hoe vroom de koninklijke familie was. Hij besloot de koning ter gelegenheid van diens bezoek persoonlijk te dopen en liet naar Mwambutsa's eigen naam informeren. Mwambutsa gaf eerst zijn moslimnaam, Jouma, en de Heilige Vader zocht tevergeefs een heilige met die naam. Waarop Mwambutsa zei: 'Ik heet ook Rupopo', waarop het zoeken opnieuw begon. Het was zijn manier om tijd te winnen en onder de doop uit te komen zonder de paus te kwetsen. Hij verliet de Heilige Stoel zoals hij was gekomen, als een heiden. Het pauselijke protocol schreef voor dat Mwambutsa voor de paus knielde om diens ring te kussen, maar bij ons 'knielt een koning niet voor een andere vorst'. Bij zijn audiëntie zei Mwambutsa de Heilige Vader dus gewoon goedendag.

De kolonisten

Als kind ontmoette ik haast geen blanken, behalve de zusters, de priesters en een paar buren in Bujumbura, de Dussarts en de Duchênes die kinderen hadden met wie ik wel speelde. Ons huis aan de Avenue des Orangers, niet ver van het koninklijke paleis en de Regina Mundikathedraal, stond wel in een witte wijk. De blanken en wij leefden in aparte werelden die, behalve bij officiële gelegenheden, elkaar niet raakten. De padvinderij was wel gemengd en daar had ik ook wel een paar blanke vriendinnen, maar echt close waren we niet. We haalden samen wel malle streken uit. Ik kreeg de totemnaam 'Gekke Condor'. Die club meiden vormde een gedroomd publiek voor me.

De blanken die op het paleis kwamen, de Belgische officials en zakenlieden, waren heel aardig en ik had niets tegen ze. Ze deden hun werk. Ze reden natuurlijk wel in grotere auto's dan de Burundezen en waren kennelijk de baas. We moesten voor hen buigen en als een van hen sprak applaudisseerde iedereen. Zonder hun verdiensten in twijfel te trekken, begreep ik echt niet waarom zij een voorkeursbehandeling moesten krijgen.

Ik ging vaak naar de sportclub L'Entente sportive achter het koninklijke paleis, waar ik mijn energie kwijt kon. Ik kroop onder het hek door naar het zwembad. Al snel merkte ik dat ik de enige zwarte was die profiteerde van deze voorzieningen. Net als in hotel Paguidas mochten mijn landgenoten er niet in. Mij durfde niemand weg te sturen, omdat ik een prinses was, maar ik voelde me er erg alleen. Af en toe ontmoette ik er de koning, maar die hoefde zijn plaats niet op te eisen: hij was het wettige gezag.

De vrolijke bende

Als we allemaal in Bujumbura waren en onze ouders 's middags weg moesten voor een officieel bezoek, rolden we de tapijten op en gooiden we water en stukken zeep op de cementen vloer. De vriendjes uit de buurt werden opgetrommeld en met z'n allen dansten we als gekken. De gordijnen gingen dicht, zodat de buren, de Duchênes, de Dussarts en ook Jaumain, allemaal blanken, ons niet konden zien en ons niet konden verraden. Onze 45-toerenplaatjes werden grijsgedraaid en we maakten gevaarlijke uitglijers op de zeepvloer. Een uitkijk, die vorstelijk werd beloond met een bioscoopkaartje, hield de komst van de tamboer en de sirene in de gaten die de terugkeer van onze ouders aankondigde. Dan moesten we in allerijl met schrobbers en bezems de sporen van het feest uitwissen en de tapijten en meubels weer hun oude plaats geven. In een handomdraai was alles keurig geregeld. We hebben onze vermaken pas veel later opgebiecht. Hadden onze ouders ons toen al door? Ze hebben het nooit laten blijken.

Ik had hoofdzakelijk vriendjes, want in onze groep zaten niet veel meisjes. Ik had weinig vriendinnetjes, niet eens de onafscheidelijke hartsvriendin aan wie je je geheimen en je verdriet vertelt en die zo belangrijk schijnt te zijn in het leven van een adolescente. In onze club zat een jongen die een motor bezat. Natuurlijk moest ik die sensatie beleven. In plaats van over de weg reden we dwars door een haag die mijn moeder wanhopig probeerde opnieuw te planten, over een geïmproviseerd paadje via de tuinen naar de andere vrienden. Tijdens dat tochtje verbrandde ik mijn been aan de uitlaat. (In de jaren zestig mocht een meisje absoluut geen broek dragen.) In de tuin van een naburig huis lagen wat autowrakken en iemand bedacht dat ik mijn brandwond moest behandelen met water uit een accu. We drenkten watjes van kapokboomvezels in accuwater en depten daarmee mijn blaren. Maar in accu's zit zwavelzuur en dat verergerde mijn verbranding zo vreselijk, dat mijn been binnen een uur twee keer zo dik was. Ik durfde het verhaal niet te vertellen en wilde ook mijn vrienden er niet bij betrekken. Toen mijn moeder thuiskwam en mijn been zag, wist ik niet wat ik moest zeggen: 'Ik heb me gebrand aan de barbecue...' – 'O ja? Op die plek? Denk je dat ik achterlijk ben?' Doodongerust bracht ze me naar de kliniek, waar ik wel werd behandeld volgens de regels der kunst. Ik heb wekenlang met krukken gelopen en ik moest, terwijl de hele familie naar Fota vertrok, in Bujumbura blijven om het verband te laten verschonen.

Dikke pret was het ook om de sigaretten van de koning te pikken, want voor de rokers onder mijn vriendjes was tabak onbetaalbaar. Ik stal dus de Kents van Mwambutsa, die ik gul verdeelde onder mijn vrienden.

Op zondagen ging de vrolijke bende naar het strand om te zwemmen en te barbecuen of we gingen dansen bij iemand thuis. Avonduitstapjes waren verboden. 's Avonds luisterden we naar muziek op de radio. Ogenschijnlijk was het een heel vrij leventje, maar mijn moeder wist altijd precies waar ik zat. Ze kende de ouders van heel het stel. Op zondag gingen we gezamenlijk naar de mis en de ouders ontmoetten elkaar daar. Het is in die periode dat men begon te spreken over de 'gebeurtenissen'. Wij jongeren leefden onder een stolp. De wereld behoorde ons toe. Maar onze familie en het land zouden getroffen worden door vreselijke tragedies en al die levensvreugde, al die zorgeloosheid zouden verkeren in angst en tranen.

De Burundese ziel

De waarden dapperheid, vaderlandsliefde en toewijding waren de Burundezen, die erg veel hielden van hun land, op het lijf geschreven. Was het Burundese volk nog voor de Duitse kolonisatie al niet als één man opgestaan om zich te verdedigen tegen de Arabische slavenhandelaars? Kleine conflicten tussen prinsen werden uitgevochten, dan ging het hard tegen hard; maar tegen een aanvaller van buitenaf vormden de Burundezen één front. Iedereen was trots op zijn land en op de lange geschiedenis van zijn volk. Die onderlinge verbondenheid is lang de kracht van Burundi geweest. Hoe staat het vandaag met de saamhorigheid? Ik was eens bij een vlaggenceremonie waar niet eens het volkslied werd gezongen! Een volkslied gaat over een volk en niet over zijn leiders. Patriottisme is een oneindig kostbaar bindmiddel en moet met zorg worden gecultiveerd. Enkele jaren na die bewuste vlaggenceremonie begonnen de mensen elkaar af te maken. De *umuganuro*, de herverdeling van goederen, is in onbruik geraakt. Tegenwoordig is het ieder voor zich. Mijn oom en mijn vader reden alleen in hun auto, de leiders van nu moeten zich omringen met lijfwachten. Vervreemdt dat hen niet van de bevolking en van de dagelijkse realiteit?

Mijn vader vertelde me eens het volgende verhaal. Een landbouwer beklaagde zich bij de wijzen over de koning, want het vee van de vorst kwam op zijn land grazen. Dat ging ten koste van zijn eigen kudde. De eerste wijzen gaven de klacht door aan de hoogste wijzen en de koning werd uiteindelijk voor de raad van wijzen gedaagd. Er kwam een proces, de aanklager en de verdediger deden hun zegje, de koning verloor en werd veroordeeld tot een boete die twee keer zo hoog was als de boete die een gewone burger zou moeten betalen. De moraal was dat degene die zulke enorme kuddes bezit had moeten oppassen dat hij geen schade berokkent aan iemand met maar een paar koeien. Dit is een waargebeurd verhaal, het werd vastgelegd in de annalen van de wijzen. Het proces werd niet snel in het paleis afgehandeld, maar vond plaats in het openbaar op het stadsplein. Het nieuws dat de koning voor de raad van wijzen moest verschijnen, had zich als een lopend vuurtje door de heuvels verspreid en iedereen was komen kijken. Het schijnt dat de heuvels zwart zagen van de mensen en dat de wijzen waren verschenen in vol ornaat. De koning vroeg vergeving, aanvaardde het vonnis en betaalde.

Een kandidaat-*mushingantahe*, een aankomende wijze, een notabele, werd gekozen door alle bewoners van een heuvel en moest een lange leertijd doorlopen onder het wakende oog van de ouderen die zijn gedrag observeerden, hem vragen stelden en die hem praktijkgevallen lieten oplossen. Een toekomstige *mushingantahe* moest alle sporten van de ladder beklimmen en werd ten slotte ingewijd met een plechtige ceremonie, de *kwatirwa*, waar ook de bewoners van de omliggende heuvels naartoe kwamen. Een prins van koninklijken bloede kwam niet in aanmerking voor de functie van notabele. Het gezag van een *mushingantahe* was geldig op zijn eigen en op de omliggende heuvels, maar ook in heel Burundi, als hij tenminste bewijzen kon overleggen van zijn waardigheid. Hij had dan overal recht op respect en waardering, aangezien de lokale verkiezingsprocedure geldig was in heel het land. Het systeem van notabelen functioneert jammer genoeg niet meer. Men heeft functionarissen van hen willen maken en dat is een doodzonde die lijnrecht ingaat tegen de essentie van hun uitnemende verantwoordelijkheid. Je kunt een notabele geen salaris geven. De enkelen die er nog zijn, worden diep gerespecteerd, ze zitten bepaalde zaken nog voor en leiden ceremonies zoals rouwplechtigheden.

De zogenaamde 'etnische' groepen

Toen ik klein was betekende de indeling in Hutu of Tutsi helemaal niets voor ons. Ze werd nooit gebruikt en ik kan die indeling nog steeds niet accepteren. Ik zie er geen enkel sociaal nut in noch de minste culturele rechtvaardiging. Geen enkele rivaliteit tussen Burundezen had ooit te maken met die tweedeling. Ze kwam niet ter sprake op school, niet bij de zusters op het pensionaat, niet met de vriendjes in de heuvels of in Bujumbura, niet in de bioscoop en thuis al helemaal niet. Het was een vreselijke schok om later die groepen tegenover elkaar te zien staan. Onze koning belichaamde de sterke nationale identiteit die het land bijeenhield. Ik neem aan dat hij het onderscheid best kende, zonder dat hij er enig belang aan hechtte. Er werd in elk geval nooit over gesproken en mijn generatie wist er niets van. Velen van ons ontdekten als volwassenen pas, toen dertig jaar geleden de vijandelijkheden begonnen, dat ze Tutsi waren, of Hutu. En in hoeverre bestaan die groepen eigenlijk nog, met al die gemengde huwelijken?

Tijdens de etnische zuiveringen die Burundi teisterden van 1972 tot 1993, viel er in Fota geen enkele dode. Mensen uit verschillende etnische groepen waarschuwden elkaar, waardoor er geen druppel bloed is gevloeid. Er waren Hutu's die het sein kregen: 'Ze komen eraan, ga weg, we komen jullie halen als het voorbij is.' Ze werden gered door hun vermeende Tutsi-vijanden. Dat in Fota, waar net als overal Hutu en Tutsi samenleven, een bloedbad uitbleef, is het resultaat van de politiek van mijn vader, van zijn dagelijks bestuur en van de verhoudingen binnen zijn *chefferie*.

De koninklijke familie is Hutu noch Tutsi, zij behoort tot een aparte groep, de Baganwa. Eeuwenlang verzekerde dat systeem het evenwicht in het land, omdat niet zoals in andere monarchieën, verschillende partijen aasden op de troon. De koning stond onpartijdig boven de etnische verschillen en handhaafde de nationale eenheid.

Naar het moderne Burundi

De eerste verkiezingen, in 1961, nog voor de onafhankelijkheid, waren zelfs voor een meisje van tien een onvergetelijke historische gebeurtenis. Ik herinner me nog de bijeenkomsten en de discussies. De naam van prins Louis Rwagasore, de oudste zoon van *mwami* Mwambutsa IV, lag op ieders lippen: mijn neef was de kandidaat van de boeren. De kleine burgerij, de intellectuelen en de ambtenaren hadden andere ambities. Zij waren geneigd te imiteren wat ze in België zagen. Rwagasore stond voor de Burundese natie en het volk had dat goed begrepen. Zijn partij won probleemloos de parlementsverkiezingen, die de eerste opstap waren naar de parlemenaire democratie en naar de onafhankelijke invulling van onze nationale bestemming. De vrouwen, die ook massaal voor Rwagasore stemden, hadden het moderne van zijn ideeën begrepen en ze zagen zijn integriteit. Zijn trouwste aanhangsters woonden in de volkswijken van Buyenzi en in de heuvels, waar het leven even moeilijk is. Als prins van de armen had hij de kleine man weten aan te spreken en hij had hoop gebracht. Dat alles begreep ik nog niet, maar ik voelde wel de opwinding. Ik hoorde de discussies op de markt en in de *rugo*. Iedereen wilde onafhankelijkheid en iedereen wilde af van de blanken, die ons dwongen om koffie te planten in plaats van zoete aardappelen en onze eigen groenten. 'Als ik geen zoete aardappelen meer poot, als ik koffie voor de Belgen moet planten, wat geef ik mijn kinderen dan te eten?' dachten de boeren. Rwagasore zei dat we moesten verbouwen wat we zelf nodig hadden en dat we koffie alleen maar als exportproduct moesten zien. In Burundi worden sorghumbier, bananenwijn en honingwater gedronken! Ons basisvoedsel bestaat, behalve zoete aardappelen, uit bonen en een knol die *colocase* heet, uit alle mogelijke bananensoorten en kip. We eten veel groenten en geen vis, tenminste niet in onze streek Fota, die te diep in het binnenland ligt. Langs de oevers van het Tanganyikameer wordt veel gevist en eet men *sangala* en *ndagala*, overheerlijke vissen die het vegetarische menu aanvullen.

Rwagasore, de oudste zoon en tevens eerste minister van Mwambutsa IV, hield in die onrustige periode voorafgaand aan de onafhankelijkheid een toespraak tot de Belgen met deze zin: 'U zult ons beoordelen op onze daden, en uw voldoening zal onze genoegdoening zijn.' De onafhankelijkheid was onafwendbaar en de Belgen begrepen dat. In tegenstelling tot die in Congo en veel andere Afrikaanse landen verliep de overgang in Burundi zonder wrijving en zonder oorlog. Misschien mede doordat ons landje minder bodemschatten heeft dan onze grote westerbuur Congo. Maar de overgang moest niettemin heel omzichtig gebeuren: zowel de 'afhankelijke onafhankelijkheid' als de chaos door stammenstrijd moest worden vermeden. Het genie van Rwagasore en zijn geloof in de mogelijkheden van zijn volk deden wonderen. Hij verzette zich tegen elke uitbuiting van etnische tegenstellingen en aarzelde niet de Belgische autoriteiten te trotseren: 'Eén ding is zeker, dit land heeft een probleem. En wel het probleem van de kleine man en de sociaal zwakkeren. Zij horen niet bij een ras. Van hoge afkomst of niet, Hutu, Tutsi of Twa, iedereen hoort hier bovenal tot het ras van de proletariërs, de onwetenden en de arme mensen. Geef ze een kans, laat ze zich verheffen, zich emanciperen. Dan zullen we Burundi hebben verdiend.' Rwagasore zorgde ervoor dat in de leiding van zijn partij en later in zijn regering het evenwicht tussen de bevolkingsgroepen werd veiliggesteld.

Het begin van de ramp

Enkele maanden voor de onafhankelijkheid, op 13 oktober 1961, werd Rwagasore vermoord. Hij was de drijvende kracht achter de totstandkoming van de zo felbegeerde onafhankelijkheid en de eenwording van het land. Zijn dood was een afschuwelijk verlies voor Burundi dat er nu, veertig jaar later, nog de gevolgen van ondervindt.

In 1961 was ik tien jaar. We groeiden op in de luwte van een eenvoudige, strikte opvoeding en onze ouders spraken met ons nooit over politiek. Maar we begrepen wel dat de moord op onze neef het begin was van iets heel ergs. Toen in heel het land de onlusten waren losgebarsten, hadden onze ouders onder voorwendsels hun gezin in het binnenland in veiligheid gebracht. Na de moord op Rwagasore keerde iedereen terug naar de familiegronden in Fota. Onze ouders bleven in Bujumbura om de staatszaken te behartigen, maar de kinderen werden toevertrouwd aan een intendant, de beroemde man met de hoed. Ik zat op kostschool en Pascal ook.

Op de dramatische dag zelf maakte de koning een van zijn geliefkoosde uitstapjes buiten de stad. Na de geslaagde aanslag op Rwagasore ging de moordenaar ervandoor, maar zijn auto kwam zonder benzine te staan. Door een krankzinnig toeval passeerde daar juist koning Mwambutsa en hij gaf de man een lift naar hotel Paguidas in de stad. De mensen die de twee mannen samen zagen, schrokken zich lam: niet wetend dat zijn zoon was vermoord, had Mwambutsa diens moordenaar geholpen. Zodra hij hoorde wat er was gebeurd, keerde Mwambutsa terug naar het paleis en hield een radiotoespraak: 'Niemand hield meer van mijn zoon dan ik. Ik roep de bevolking op tot kalmte. Wie mij wil troosten, ziet af van wraak.' Op die manier kon hij het ergste voorkomen. Als teken van rouw en uit protest schoren alle vrouwen in het land hun haar af. Het leven viel stil. Gevreesd werd dat het land zou afglijden naar chaos.

De moordenaar, de Griek Kageorgis, was slechts de gewapende hand van een paleiscomplot, van een koningsdrama waarvan wij, de kinderen, geen enkel benul hadden. Rwagasore was doelwit omdat zijn politieke activiteiten leiders van andere partijen al langer ergerden, omdat hij Burundi naar de onafhankelijkheid leidde en een intelligent, oprecht en rechtschapen mens was. Soms vertegenwoordigde hij zijn vader in de onderhandelingen met de Belgen. Hij reisde veel en was vaak in België. Toen Burundi de eerste stappen naar vernieuwing zette, laaiden de rivaliteiten op... Een paleiscomplot maakte korte metten met alle hoop op een vreedzame overgang en was het begin van een lange reeks tragedies.

Op het moment van de aanslag was ik bij de zusters in het pensionaat. Ze vertelden me het nieuws niet direct. Ik werd wel ineens verwend, ik werd vrijgesteld van het ochtendcorvee en ik hoefde ook niet naar de mis. Ik vermoedde nog niets. Wat er in de buitenwereld gebeurde, drong nauwelijks door tot het pensionaat. Heel het land was waarschijnlijk al op de hoogte, maar onze kleine gemeenschap nog niet. Bij het ontbijt met de zusters begon ik hun gedrag wel een beetje vreemd te vinden. De volwassenen wilden me kennelijk iets duidelijk maken, maar wat? Toen ik dat eenmaal te horen had gekregen, volgden de gebeurtenissen elkaar snel op. Ik werd gehaald en naar mijn familie gebracht.

Ik heb Rwagasore niet zo goed gekend. Hij was voor mij al een volwassene en hij was ergens anders opgegroeid. Altijd was hij bezig met politiek. Hij had andere beslommeringen dan een meisje dat kattenkwaad uithaalde en op de schoot van de koning zat. Maar Rwagasore's dood veroorzaakte een scheuring in onze familie en een omslag in de geschiedenis van het land. Het nieuws dat de moordenaar een blanke was, wakkerde in die algehele ontreddering de haatgevoelens aan en dat verergerde de schade.

Ik had niet geleerd om te haten, ik was opgevoed in een sfeer van magie, in een sprookjeswereld met muziek en dans en met de natuur. De moord op Rwagasore was het werk van een op macht beluste zijtak van de koninklijke familie. Op de achtergrond speelden tegenstellingen die de Belgische bezettingsmacht had aangewakkerd, zowel in het land als in de koninklijke familie. Alleen een buitenlander had de moord kunnen plegen. Een Burundees zou zoiets nooit hebben gedaan. In de maanden die volgden stierven de kinderen van Rwagasore een voor een onder verdachte omstandigheden.

Op 1 juli 1962 werd het land officieel onafhankelijk, onder het bestuur van koning en parlement. Het gezag van Mwambutsa IV berustte op een eeuwenoude en diepgewortelde traditie. Burundi zou onafhankelijk zijn, maar het gerespecteerde koningschap stond garant voor continuïteit.

De onafhankelijkheid wakkerde ons sluimerende patriottisme aan. Al voor de komst van de Belgen was Burundi goed georganiseerd, de bevolking beheerde haar zaken uitstekend. Er wordt bij ons vaak gezegd dat de kolonisatie maar twee vernieuwingen heeft gebracht: de zweep en het werkkamp. Ik was elf jaar toen we onafhankelijk werden en ik herinner me nog de feestvreugde. Er werd overal gedanst en mijn ouders waren zielsgelukkig. Die dag zou een nieuw begin zijn. Maar de Belgen lieten verdeeldheid en haat achter in het land dat voor hun komst een vreemdzame samenleving was. Ze hebben een gif verspreid dat nog altijd werkzaam is. Ook de jongste generatie dreigt eraan ten onder te gaan.

Burundi was voor de kolonisatie al monotheïstisch en nam het christendom van de kolonisator moeiteloos over. Het christelijke geloof is er nog steeds sterk vertegenwoordigd, maar iedereen weet wel hoe het werd ingevoerd: door geestelijken die niet zelden bij slachtingen waren betrokken. Terwijl oudere mensen praktiserende christenen blijven, zijn de jongeren een stuk kritischer. Ikzelf wil alleen maar blijven denken aan die prachtige momenten die ik heb beleefd bij de zusters van Kiganda.

De dood van prins Kamatari

Na de schokkende moord op Rwagasore en na de onafhankelijkheid hernam het leven zijn normale loop tot aan de dood van mijn vader in 1964. Dat was de tweede dramatische klap voor ons, persoonlijk en politiek gezien.

Mijn leven stond stil. De onbezorgde puber die ik was, geboren met een gouden lepel in de mond maar streng opgevoed volgens strikte principes en omgeven met een onwankelbare liefde, zou worden geconfronteerd met boosaardige woorden, daden en manieren waarvan ze het bestaan niet vermoedde. Dat veroorzaakte bij mij onwillekeurig negatieve gevoelens ten opzichte van het land en het volk die de bron waren van mijn ongeluk.

Mijn vader werd op 29 april 1964 vermoord in Kamenge, een volkswijk van Bujumbura. Ik was thuis die dag en ik herinner me alles nog alsof het gisteren was. Mijn vader kwam thuis lunchen en hij was ergens razend over. Hij sloeg met zijn vuist op tafel, iedereen beefde onder zijn woede-uitbarsting. Toen liep hij ineens naar zijn auto. Hij parkeerde de Mercedes altijd onder een boom vlak voor ons huis. Mijn oudere broer Pascal wilde met hem mee. Toen papa weg wilde rijden, was Pascal nog niet gaan zitten. De Mercedes scheurde weg in een scherpe bocht waardoor Pascal in het gras viel. Papa is nooit meer teruggekomen. Die nacht werd hij vermoord. Nog altijd hoor ik de majordomus Kimuhama zachtjes op het venster van mijn moeder kloppen om haar te wekken en het haar te vertellen. Nooit meer heb ik het geluid van knokkels op glas of iets wat daarop lijkt kunnen horen zonder kippenvel te krijgen. Mama stond op en Kimuhama vertelde haar dat papa een ongeluk had gehad. Ze begreep direct dat hij dood was.

De aanvallers hadden zijn schedel met een hamer verbrijzeld. Ze waren ongetwijfeld met meer, want zo'n reus als mijn vader krijg je niet gauw klein. Ik meen te weten dat er bij het gevecht nog een dode is gevallen. De moordenaars legden het ontzielde lichaam van mijn vader in zijn hemelsblauwe Mercedes, reden die naar de heuvels van Bujumbura en duwden hem het ravijn in.

Ik was nog maar dertien en ik voelde me vreselijk eenzaam. Ik vluchtte in de ontkenning van de werkelijkheid. Mijn vader was weer eens vertrokken voor een langere reis waarvan hij zou terugkomen. Ik moest de feiten ontkennen om niet gek van wanhoop te worden. De dag van de begrafenis werd ik opgesloten, omdat iedereen vond dat ik tegen mezelf moest worden beschermd. Ik heb de plechtigheid niet meegemaakt en ik denk dat ik inderdaad zou zijn gestorven van verdriet. De dagen voor de nationale begrafenis was het lichaam van mijn vader opgebaard in het Prins Louisziekenhuis in Bujumbara. Het volk trok er in lange rijen langs. Daar ben ik wel naartoe gegaan om hem samen met de toegestroomde menigte de laatste eer te bewijzen. Tien jaar lang ben ik nog heen en weer geslingerd tussen ontkenning en wanhoop voordat ik aanvaardde dat ik mijn vader, mijn prins, mijn mooie sterke held, de zo geliefde man, die omwille van duistere belangen werd geveld door een paar ellendelingen, nooit meer zou zien.

Mijn moeder gedroeg zich buitengewoon waardig. Toen zij het hoofd van de *chefferie* werd, kon ze nog slechts rekenen op de allertrouwsten onder de getrouwen. Het waren de laatste jaren van de monarchie. We kwamen wel te weten wie de moord had gepleegd, maar niet wie erachter zat. De moordenaars werden gearresteerd. De hoofdverdachte, een man die Burundi heette, werd samen met zijn helpers berecht, maar uit de procesverslagen blijkt overduidelijk dat zij niet de ware schuldigen waren. Acht jaar na de moord, tijdens de genocide van 1972, werden Burundi en zijn medeplichtigen als gevolg van een doortrapte manipulatie terechtgesteld. We zoeken nog altijd naar de waarheid. De onwetendheid maakt onze rouw extra pijnlijk.

Net na het begin van de slachtingen van 1993 heb ik de zoon van Burundi eens ontmoet. Hij werkte in de keuken van het Novotel van Bujumbura, waar ik vaak logeerde. Enkele lieden hadden die ontmoeting geforceerd om de sfeer te verzieken. Veel mensen dachten en hoopten dat ik mijn zelfbeheersing zou verliezen en een schandaal zou veroorzaken. De keuken was stampvol met koks en hulpkoks die druk bezig waren. Ik begroette ze een voor een en vroeg wat ze deden en liep vervolgens naar de man om wie het was begonnen. Hij stond op zijn benen te trillen, het was muisstil toen ik hem begroette. Ik keek naar die bijna zielige tamelijk jonge man, die misschien nog een baby was toen zijn vader de mijne vermoordde. De toeschouwers die een klap of een ander heftig gebaar van mij verwachtten, kwamen er bekaaid af. 'U bent de zoon van Burundi, de moordenaar van mijn vader,' zei ik. Bevend bleef hij naar de grond kijken. 'Maar u bent zijn zoon. Niet u hebt mijn vader gedood. Ik geloof niet in het spreekwoord dat als er in een familie één hondeneter is, alle familieleden dat ook zijn. U wens ik niets kwaads toe. Ik zal u niet op de mond kussen, u bent niet mijn man. Ik kan u ook niet mijn vriend noemen. Al die mensen om ons heen hopen dat ik een schandaal maak, dat ik u iets zal aandoen, maar het is uw vader die de dood van mijn vader op zijn geweten heeft, niet u.'

Toen ik dit verhaal in de kampen vertelde, had iedereen het al op de radio gehoord en was erdoor gesterkt. We waren allemaal slachtoffers. Elkaar doodslaan en elkaar uitmoorden verergerde onze rampspoed.

Het einde van de monarchie

Na de moord op Kamatari bleef Mwambutsa IV verzwakt achter: zijn zoon en zijn broer waren zijn intiemste en betrouwbaarste raadgevers geweest. Toen hij die verloor stond hij er alleen voor. Vermoeid door de macht, werd hij nog eigenzinniger en erg achterdochtig. Een stoelendans om de ministersposten bezorgde hem alleen maar teleurstellingen. Mwambutsa kreeg het gevoel dat de Burundezen niet naar waarde wisten te schatten wat zijn grootvader, zijn vader en hijzelf tot stand hadden gebracht. Hij begreep hun ontrouw niet en raakte verbitterd.

In 1965 mislukte een poging om hem af te zetten. De monarchie werd nog even gered door de twist! Van alle koningen die de wereld ooit heeft gehad, was Mwambutsa ongetwijfeld de beste danser, vooral van de twist, de cha-cha-cha en de rumba. Ondanks alle moorden werd de koning in die periode niet extra bewaakt, want niemand vocht zijn legitimiteit aan. Niettemin probeerde een groepje Hutu-officieren de macht te grijpen. Die dag was Mwambutsa gaan dansen in de Coconuts, een dancing aan het meer. De coupplegers waren slecht ingelicht en drongen zijn lege paleis binnen. Een tijdje later kwamen ze nog eens terug en weer vonden ze niet wat ze zochten. Tegen vijf uur in de ochtend ondernamen ze een laatste poging. Mwambutsa kwam toen net thuis van zijn dansavond en verweerde zich met behulp van zijn garde. De militairen, die gedacht hadden dat ze hem in zijn slaap zouden overrompelen, kwamen tegenover een fitte vorst te staan. De enige slachtoffers die het paleis te betreuren had, waren twee honden. De berichten van buiten het paleis waren helaas dramatischer. In heel het land volgden slachtingen, represailles en terechtstellingen.

In 1966 droeg de afgematte, zieke Mwambutsa de macht over aan een van zijn andere zonen, prins Charles Ndizeye. Diens regeerperiode zou slechts enkele maanden duren. In november van datzelfde jaar kwam er een einde aan de monarchie. Charles ging in ballingschap en de republiek werd uitgeroepen. In 1972 werd ook Charles vermoord. In datzelfde verschrikkelijke jaar werden er ook bijna tweehonderdduizend landgenoten afgeslacht.

Mwambutsa had zich in 1966 teruggetrokken in Zwitserland. De man die ik daar enkele jaren later bezocht, leed aan kanker en was zo vermagerd dat hij bijna niet opviel tussen de lakens van zijn ziekenhuisbed. Zijn horloge bungelde om zijn pols. Ik stond verlamd van verdriet met een roze roos in mijn hand naar woorden te zoeken. Ik werd bestormd door herinneringen aan mijn kindertijd, aan onze band van weleer. Mwambutsa kon nog maar nauwelijks praten. Hij keek me aan en strekte zijn hand uit om een teken op mijn voorhoofd te maken. Dat is mijn laatste beeld van de man die in eenzaamheid stierf in 1977. Hij had het land bestuurd sinds 1915 en hij had zijn twee zonen en zijn broer zien sneuvelen. In zijn testament stond dat hij niet in Burundi begraven wilde worden.

Verstoting, verbittering: de breuk

Na de dood van mijn vader in 1964 werd ons gezin herenigd. Iedereen kwam terug naar Bujumbura en Pascal en ik werden van het internaat gehaald. We bleven een tijdje in Bujumbura, omdat mijn moeder dicht bij het machtscentrum en de relaties van de familie wilde zijn. Maar niemand wilde meer iets met ons te maken hebben. Mijn moeder was bepaalde mensen tot last. Louter haar aanwezigheid herinnerde eraan dat de prins was vermoord. We hadden afgedaan. Zo definitief zelfs dat de beramers van de moord op mijn vader het niet eens nodig vonden om ook ons te doden. Voor de hogere kringen bestonden we gewoon niet meer. De vernederingen en de pesterijen begonnen. Op school werden we in de pauze nagewezen. We bleven aan de kant staan omdat niemand met ons praatte. Het was echt afschuwelijk, alle vrienden van vroeger keerden zich van ons af. Ik veranderde van een zeer sociaal in een erg eenzelvig meisje, en daarvan gaf ik heel de wereld de schuld. We werden volslagen genegeerd en niemand deed zelfs de moeite om daarvoor politieke redenen aan te voeren. We werden gewoon gedumpt.

De toestand verslechterde snel. Eerst werd onze elektriciteit afgesneden, vervolgens werden we uit ons mooie groene huis in Bujumbura gezet. Mijn moeder deed er alles aan om haar gezin fatsoenlijk te laten leven, maar de aasgieren lagen op de loer en de koning kon ons niet meer helpen. Toen de ambtenaren het huis kwamen leeghalen, zijn we vertrokken. Mama vond het veiliger voor ons om naar Fota te gaan. Alleen ik bleef achter, omdat ik in de hoofdstad op school zat. Mijn moeder was een vrouw met karakter, een persoonlijkheid die gezag uitstraalde en grote indruk maakte. Gelukkig maar, want de situatie kon niet beroerder zijn.

In die omstandigheden wierp onze strenge opvoeding vruchten af. In Fota had ik niet alleen maar op bananenbladeren gesleed, ik had ook meegeholpen op het land, ik had gezaaid en geoogst. Net als de plattelandskinderen had ik op de boerderij gewerkt. In augustus plukten en dopten we de erwten en voerden de schillen, met de vliesjes van de sorghum, aan het vee. Later in het seizoen moest er hout worden gesprokkeld voor het vuur dat tijdens de kou het vee moest verwarmen. De kinderen van de prins mochten niet met hun duimen draaien. We moesten naaien en schoonmaken. Mijn ouders vonden dat de beste manier om ons te laten kennismaken met de werkelijkheid, om ons te leren dat we geen haar beter waren dan andere mensen. Want hoe kun je bevelen geven als je niet weet waarover je praat? Ik weet nu hoe je rug voelt na een hele dag spitten, ik kan meepraten over de dorst en over het stof dat je keel uitdroogt... We hebben het allemaal zelf ervaren. We hebben ervan geleerd en het heeft ons gevormd. Zonder die opvoeding hadden we in tijden van tegenspoed nooit onze handen uit de mouwen kunnen steken.

Naast veel vijandigheid voelde ik ook de genegenheid en ontzetting bij dat deel van de bevolking dat zich, net als ik, verweesd voelde. Het land was in rouw gedompeld, de koning stond machteloos. De vernietigingsmachine was op gang gekomen. Er werden nog meer moorden gepleegd. In 1965 begon er een lange reeks van slachtpartijen: voor het eerst stierven er in Burundi mensen vanwege hun etnische afkomst. En de tragedie begon nog maar net.

Gelukkig had papa zijn *chefferie* beheerd als een goede huisvader. Gelukkig waren wij opgegroeid samen met de kinderen uit de heuvels, van de bananenplantages en uit de velden. We hadden samen gespeeld en gewerkt. De levensstijl van onze familie was drastisch veranderd: er werd minder uitgegeven en we hadden minder bedienden. Ons aanzien was gedaald, maar de getrouwen lieten ons niet in de steek. Je ontdekte heel snel wie het echt meende en wie niet. De mensen in Fota hielden van ons en dat was wederzijds. Toen ik jaren later met mijn humanitaire acties begon, deed ik aanvankelijk niets voor Fota, uit angst dat er gezegd zou worden dat ik alleen de mensen uit mijn eigen streek hielp. Maar de wijzen leerden me: 'Je kunt niet houden van je land als je niet houdt van je geboortestreek.'

Een opstandige leerlinge

Ik was op een reuze gezellige school geweest, maar aan mijn toekomstplannen was nooit aandacht besteed. Wat moest ik doen na mijn eindexamen? Na de zustersschool slaagde ik in 1969 voor het toelatingsexamen van de gloednieuwe *Ecole nationale d'administration* (ENA) van Burundi. Het was een gemengde, vierjarige ambtenarenopleiding. Ik zat in de eerste lichting. In Burundi moesten jongeren die in het onderwijs of naar de ENA wilden als voorbereiding op een hogere opleiding eerst naar de *Ecole normale supérieure*. Ik ben daar met een staatsbeurs een jaar geweest. Dat jaar heeft me de ogen geopend. Ik kwam in opstand tegen het onrecht en de pesterijen. Ik woonde bij mijn broer Alexis, de oudste zoon uit het eerste huwelijk van mijn moeder. Hij was militair en had een jonge vrouw, Carinie. Ik vond het prettig bij hen en kon prima opschieten met Carinie. Ze dekte mijn stomme streken en wist haar man altijd over te halen om me ergens toestemming voor te geven. Ze was een oudere zus voor me. Als tegenprestatie was ik haar beste ambassadrice bij mijn moeder, wier oordeel altijd werd gevreesd.

Omdat hij geen zoon van Kamatari was, stond Alexis minder bloot aan de pesterijen die onze familie het leven zuur maakten, maar zijn hoge rang maakte hem kwetsbaar en er werden hem heel wat obstakels in de weg gelegd. Hij heeft zich dat erg aange-trokken en het maakte hem vroeg oud.

Hun huis stond in onze oude buurt en ik voelde me dus niet ontheemd. Bujumbura is een mooie stad aan de noordoostkust van het Tanganyikameer en is gebouwd rond een drukke haven. Er zijn een handelshaven voor schepen uit de buurlanden en een vis-sershaven. De woonwijken lagen in de koele heuvels aan de andere kant van de stad. Je had er de mooie villawijk waar we vroeger woonden. Daar stond ook het huis van Alexis. Het had iets weg van een badplaats met tuinen vol witte, oranje, paarse bougainvil-les en palmbomen. Ik had mijn oude vriendenclub weer terugge-vonden. We waren allemaal ouder, maar we hadden nog steeds evenveel pret. We liepen dwars door de hagen tuin in, tuin uit, om elkaar 's avonds op te zoeken. Een vriendenclub is een veilige co-con, waarin je geestelijk kunt overleven. Met die jongeren vond ik een beetje mijn oude leven in Fota terug. Een van de jongens speelde gitaar en wij dansten daarbij. Ik mocht niet uitgaan van mijn moeder, maar mijn broer was vaak op oefening met het leger en mijn schoonzusje liet me begaan.

In die tijd was het vliegveld de enige plek waar we konden dan-sen zonder dat onze muziek de buren stoorde. Mijn broer ging mee om een oogje te houden op de jongens die met me wilden dansen. Als een beschermende vaderfiguur wachtte hij met ge-kruiste armen tot het tijd was om me thuis te brengen. Hij nam zijn rol van grote broer heel serieus en kweet zich toegewijd en liefdevol van zijn taak.

De hele familie zag hoe mijn moeder zich afbeulde om het hoofd boven water te houden. Ze kwam per openbaar vervoer naar Bujumbura en moest eerst elf kilometer naar de bushalte lo-pen. Als mensen uit de heuvels haar naar Mwaro zagen vertrek-ken, liepen ze mee; een prinses moet worden begeleid. In Mwaro kreeg ze direct de beste plaats in de bus en de chauffeur reed extra voorzichtig. Ze wilde ons graag zien, maar ze was het liefst in de heuvels, waar zij de baas was. Als doorgeefluik van haar bevelen had ze nog altijd dezelfde intendant-met-de-hoed. Zonder haar charisma en haar gezag had Fota nu niet eens meer bestaan. Ze verving mijn vader in al zijn functies in de rechtshandhaving en het bestuur. Ze leidde het landbouwbedrijf, ging over de aanplant en waakte over het vee. Ze leerde de lokale bevolking moderne landbouwmethodes en introduceerde de aardappelteelt. Ze volgde de nieuwste ontwikkelingen op landbouwgebied en werd een fantastisch goede boerin, naar wie in heel de provincie werd geluisterd. Ze zou later postuum gelauwerd worden voor haar verdiensten als modelboerin. Ze deed ook veel voor de feministische beweging. Ze organiseerde betogingen voor vrouwenrechten. Ze was lid van de Burundese Vrouwenunie en gold in de streek als dé autoriteit als het ging over de plaats van vrouwen in de samenleving en over opvoedingskwesties.

Als Mama Fota naar Bujumbura kwam, ging het over andere dingen. Zij en ik hadden een beter contact dan in mijn kindertijd. We lachten samen, we vertelden elkaar verhalen en we sliepen in dezelfde kamer. De afstand tussen ons was weggevallen. Ze vertelde ons over vroeger, over hoe ze mijn vader had leren kennen, over de prachtige feestavonden. Met de zondagsmis zaten we allemaal naast haar. Het maakte me apetrots om gezien te worden met mijn nog altijd zo aantrekkelijke moeder, helemaal als ik daarbij de bewonderende blikken van de vriendinnen onderschepte. Mijn moeder was ook trots op mij; ondanks mijn grote mond en mijn ongedisciplineerde karakter zat ik toch maar mooi op de ENA.

Mijn toekomst ligt ergens anders

Zoetjesaan rijpte het idee bij me om weg te gaan uit Burundi. Ondanks mijn ogenschijnlijke vrolijkheid voelde ik dat ik een buitenstaander was geworden. Ik wilde niet bij die mensen blijven, ik wilde niet al de vernederingen verdragen en altijd het hoofd moeten buigen. Wat voor toekomst had ik in een land waar me de toegang werd ontzegd tot de nieuwe mogelijkheden die de onafhankelijkheid had gebracht? Ik sprak er met niemand over, omdat niemand me serieus zou hebben genomen. Alexis en Carinie, die net waren getrouwd, zouden zich wel bij de situatie neerleggen. Mijn oudste broer Pascal had eerst in Frankrijk op een privéschool gezeten en was toen naar Denemarken gegaan, waar hij was getrouwd en een fijn leven leidde. Hij had Burundi al vlak na de dood van onze vader verlaten en hij had de verstoting niet meegemaakt. De kleintjes hadden de periode daarvoor niet bewust beleefd. Ze hadden veel minder te betreuren en in de beschermde omgeving van Fota ondergingen ze geen echte vernederingen. Mijn zusje Fabiola, dat nu zo goed voor onze bezittingen zorgt, was nog maar drie jaar toen onze vader werd vermoord. Dankzij haar heeft mijn moeder het na dat drama kunnen volhouden.

Ik besloot dat ik niet heel mijn leven in Bujumbura kon blijven. Veel van de mensen die me op de ENA zo treiterden zitten nu op hoge posten. Van tijd tot tijd kom ik ze nu tegen op de ministeries. Ik zou dus weggaan, maar waarheen? Niet zoals mijn broer naar Denemarken. Niet naar België, want voor mij waren de Belgen medeverantwoordelijk voor mijn ellende. En bovendien zou ik in België veel van de Burundezen hebben ontmoet die ik juist wilde ontvluchten.

Op de ENA had ik verschillende Europese leraren die ik erg bewonderde en die me een nieuwe kijk gaven op de wereld. Mijn leraar economie leek sprekend op Alain Delon. Met groot vertoon van ijver zat ik bij zijn lessen altijd op de eerste rij, maar wat hij zei drong nauwelijks tot me door. Door hem kregen Parijs en Frankrijk een bijzondere aantrekkingskracht. Onze lerares Engels heette Nightingale en we noemden haar natuurlijk 'Nachtegaal'. Ze droeg minirokken en in haar klas waren uiteraard de jongens het vlijtigst! Een andere lerares, een Belgische, was heel elegant en misschien komt mijn liefde voor de mode wel voort uit mijn bewondering voor haar garderobe. Ik voelde me aangetrokken tot al die Europeanen, maar waarschijnlijk is 'mijn' Alain Delon nog het meest bepalend geweest voor mijn besluit om naar Frankrijk te gaan. Hij heeft me geholpen. Hij heeft gezorgd voor de benodigde borgstelling door middel van een uitnodiging om hem in Frankrijk te komen opzoeken. Hij was een van de weinigen die op de hoogte waren van mijn geheim.

Ik had nooit identiteitspapieren nodig gehad, iedereen in Bujumbura wist wie ik was. Ik beschikte dus niet over het onontbeerlijke paspoort en het duurde twee maanden om er een te krijgen. Via vrienden kwam ik in contact met iemand die weer iemand kende op het ministerie van Binnenlandse Zaken. Om vervolgens mijn geboorteakte uit Fota te kunnen overleggen, maakte ik mijn moeder wijs dat het secretariaat van de school daarom vroeg. Doordat ik bij Alexis woonde, had ik het grootste deel van mijn beurs opzij kunnen leggen en had ik net genoeg geld voor een enkele reis Parijs en voor het paspoort dat ik stiekem had geregeld. Nu moest ik nog aan een vliegticket zien te komen. Een nichtje van mijn schoonzusje werkte bij een reisbureau in Bujumbura. Via haar hebben we het ticket kunnen versieren. Je kon alleen een visum voor Frankrijk krijgen op vertoon van een retourticket. Het nichtje was zo lief me er een te bezorgen, zodat ik ook mijn visum kreeg. Mijn schoonzusje, mijn economieleraar en het nichtje van het reisbureau: zonder de discretie van deze drie zouden de autoriteiten lucht hebben gekregen van mijn plan. We schrijven 1970; Afrikaanse vrouwen reisden nog niet onbegeleid.

Op 22 augustus 1970 kwam ik met een piepklein koffertje aan op het oude vliegveld van Bujumbura waar ik zo vaak had staan dansen met mijn vrienden. Ik had een plaats op de wekelijkse vlucht naar Parijs. Mama, die best wist hoe graag ik weg wilde, had mijn broer op het hart gedrukt me goed in de gaten te houden. Bij de douane, waar iedereen Alexis kende, werd ik gezien door een man die meteen mijn broer ging waarschuwen. Maar telefoneren ging toen nog heel traag. Je moest eerst de centrale bellen. En voordat mijn broer op de hoogte was gebracht, was het vliegtuig al opgestegen.

De roes van de catwalk

Ik ben vertrokken zonder om te kijken. Ik had geen land en geen verleden meer. Als een afgezette, eenzame, berooide, maar door en door Afrikaanse prinses begon ik in een land vol met blanken aan een traject waarvan ik absoluut niet wist waarheen het voerde. Ik had natuurlijk nog nooit in een vliegtuig gezeten, maar ik had twee ogen, twee oren en ik deed gewoon mijn buurman na. Ik maakte mijn veiligheidsgordel vast, ik at zelfverzekerd mijn maaltijd op. Net een doorgewinterde luchtreizigster! Tijdens die vlucht stak mijn talent als aandachtig toeschouwster voor het eerst de kop op.

De Parijse luchthaven Roissy bestond nog niet in 1970. Vluchten uit Afrika kwamen toen nog aan op Le Bourget. Ik liep achter de andere passagiers aan toen we naar de aankomsthal werden gedirigeerd. Ik als laatste. Er stond een fikse drom mensen te wachten. Mijn eerste gedachte was: 'Ik heb nog nooit van mijn leven zoveel blanken bij elkaar gezien.' Dat er zoveel blanken op de wereld bestonden ging mijn stoutste verbeelding te boven. Ik ging met mijn stalen koffertje op de knieën voorzichtig op een van de ongemakkelijke luchthavenstoeltjes zitten. Ik had een stel lakens ingepakt, een stuk zeep, een washandje en een kam. Dat was alles. Ik droeg een zwart-witte jurk met grote gele bloemen, precies die van juffrouw Nightingale.

Aandachtig nam ik mijn directe omgeving in mij op. Een roltrap, een cola-automaat... Op het vliegveld van Bujumbura krioelde het van de kruiers, op Le Bourget zag je er vreemd genoeg geen één. Het was of ik in een film speelde. Mensen liepen kriskras door elkaar, ze stopten bij de winkeltjes, waar ze met armenvol aankopen weer uitkwamen. Het decor was licht en veelkleurig.

Ik had geen cent op zak. Ik bleef kalm in de hal zitten, rechtop, mijn voeten netjes naast elkaar, zoals ik bij de zusters had geleerd. Ik was prinses Kamatari en er zou ongetwijfeld iets gebeuren.

Een uitgestoken hand

En jawel, er naderde een statige meneer die me hoffelijk begroette en die me vroeg of ik aankwam of vertrok. 'Ik kom uit Burundi,' zei ik met vaste stem en zonder een spoortje Afrikaans accent, wat hem onmiddellijk opviel. Hij vroeg vervolgens of ik werd opgehaald en ik zei hem in alle eerlijkheid: 'Ik ben prinses Kamatari, ik heb Burundi verlaten om in Frankrijk te gaan wonen. Ik ken hier niemand.' Was die man op zoek naar een avontuurtje of was hij een eigentijdse Samaritaan? Meteen won hij het vertrouwen van mij, de jonge Afrikaanse uit de heuvels. 'Blijft u zitten,' zei hij. Zittenblijven? Waar zou ik in 's hemelsnaam heen moeten? Mijn weldoener boekte zijn reservering over naar een andere vlucht en nodigde me uit voor een lunch in Parijs.

Wantrouwen kende ik niet. Mijn jeugd had zich afgespeeld in een vertrouwde omgeving, in mijn land waar ik nagenoeg iedereen kende. Door de moord op mijn vader had ik wel al ervaren waartoe mensen in staat zijn... Wat had ik te vrezen? Tijdens de lunch heb ik mijn verhaal verteld aan die gefascineerde vreemdeling. Hij heeft me meegenomen naar Saint-Germain-des-Prés, waar hij me installeerde in hotel La Louisiane in de Rue Saint-Benoit. Hij betaalde tien nachten vooruit, gaf me nog duizend francs, wenste me veel geluk en vertrok. Opeens kwam hij terug en gaf me een papiertje met het adres van een priester. Ik heb die man nooit meer gezien. Ik ben er nog steeds niet uit wat het wonderbaarlijkste was van het hele verhaal: zijn handelwijze of mijn naïviteit. Met de deuren van dat prachtige hotel in de stijl van de jaren dertig opende ik de deuren naar een nieuw leven.

De stad van mijn dromen

Ik had zelden of nooit geld bezeten, laat staan Frans geld. Alles wat ik nodig had, kreeg ik altijd. De enige geldstukken die ik ooit had vastgehouden, waren de muntjes die de koning me gaf voor de bioscoop. Ik had geen flauw benul van prijzen, noch van de waarde van dingen. Er zaten hongerige bedelaars op straat. Die kregen geld van me. Hoeveel? Als ze maar blij keken! Duizend francs (honderdvijftig euro) was toen een heel bedrag.

Tijdens die tien vooruitbetaalde dagen in het hotel heb ik alleen maar rondgelopen, eerst in de buurt van het hotel. Algauw leerde ik op straat mensen kennen. Ik was gewend om met iedereen te praten en de Parijzenaars met hun geregelde leventjes luisterden graag naar mijn verhaal. Ik legde snel contact, alles ging vanzelf. Ik werd uitgenodigd voor etentjes. Ik leerde de stad en de winkels kennen en ik stond paf. En al die blanken! Het was het einde van een prachtige augustusmaand. Er waren markten die ik nog nooit had gezien in Burundi. Ik kwam daar nooit op de markt, omdat de bedienden de boodschappen deden. In Parijs kochten de blanken op de markt! Dat was een enorme ontdekking voor me. En ze aten net als wij groenten... Het verkeer bracht me wel van mijn stuk, net als het tempo, of liever het ijltempo van de

Parijzenaars. Nergens dwarrelde er stof, alles was schoon. Maar voor geen goud waagde ik me in de metro. Die onderaardse wereld durfde ik niet in.

'Mijn' Alain Delon had Parijs beschreven als een paradijs. Ik beleefde er tien geweldige dagen. Ik was er zeker van dat ik de goede beslissing had genomen en dat mijn geluksster schitterde aan de hemel boven mijn nieuwe land. Ik voelde me lekker, net zo lekker als op mijn heuvel in Burundi. Ik deed de ene ontdekking na de andere. De mensen waren beleefd en vriendelijk. Ik vond het heerlijk om op een bankje gezeten voorbijgangers te observeren, de beelden in de straten en parken te bekijken, duiven te zien en honden die werden uitgelaten door hun baasjes. Met al mijn zintuigen op scherp zoog ik me vol indrukken en ik genoot.

Het waren tien dagen van avontuurlijke inwijding. En toen was mijn geld nagenoeg op. Ik kon natuurlijk niet terecht bij de ambassade van Burundi, waar ze me zouden uitlachen. Dus telefoneerde ik naar de priester wiens nummer ik had gekregen van de man van Le Bourget. Mijn telefoontje bracht de geestelijke behoorlijk in verlegenheid: wat moest hij met me aan?

De nevels van het noorden

De vrome man verwees me naar de zusters van Berck, een plaatsje aan de Franse kust vlak bij Calais. Van mijn laatste geld kocht ik een treinkaartje. Dat was mijn treindoop, want in Burundi waren geen spoorwegen. Ik was erg onder de indruk. De trein stopte, reed en stopte weer... Ze hadden me duidelijk uitgelegd dat ik voor de aansluiting naar Berck moest uitstappen bij een autobusstation in Rang-du-Fliers. Maar wat was een autobusstation nou weer? Ik heb de hele treinreis in paniek bij de deuren gestaan. Ik mocht vooral die aansluiting niet missen.

Sinds mijn vertrek had ik het thuisfront nog niets van me laten horen. Wat had ik ze moeten zeggen? Ik wist niet eens wat ik zou gaan doen. Mijn moeder, die vast te trots was om haar ongerustheid te laten blijken, moest toch fier kunnen zijn op die avontuurlijke dochter. Tegenwoordig reist iedereen en dankzij de media weten we hoe de rest van de wereld eruitziet. Maar in 1970 en in Afrika... wie reisden er toen? Hooguit ambassadeurs, politici en zakenlieden...

De aansluiting naar Berck in Rang-du-Fliers bleek een bus te zijn. De zusters ontvingen me met open armen, misschien met in het achterhoofd de hoop dat mijn prinsessenstatus financieel voordeel zou bieden. Ze moesten die hoop al snel weer laten varen. De nonnen dreven een internaat waar je werd klaargestoomd voor het diploma van verpleegkundige. En waarom zou ik eigenlijk geen verpleegster worden? De sfeer in Berck was niet anders dan die in het pensionaat van Kiganda, behalve dat iedereen hier blank was en dat de natuur heel anders was. Na de korte periode van vrijheid bij mijn broer in Bujumbura en de tien heerlijke dagen in Parijs keerde ik weer terug naar het klooster. Ik had geen keus. Er moest wat gebeuren, dus geen gezeur.

Het internaat sloot in de weekends en alle meisjes gingen naar huis. Het waren overwegend plattelandskinderen, die naar de boerderij van hun ouders gingen. Ik, nieuwelinge zonder familie en vrienden in dat land, had al snel mijn tenten opgeslagen in Le cornet d'amour, een café in Berck dat een trefpunt was voor jongeren. Het kwam wel voor dat ik van vrijdag tot maandag buiten doorbracht, pendelend tussen het café en het strand. De nonnen keken niet naar me om. Ze dachten misschien dat ik me wel zou redden of ze hadden geen benul hoe eenzaam ik was.

Toen de zusters uiteindelijk ontdekten dat ik geen contact met mijn ouders en geen geld had, boden ze me huishoudelijk werk aan om de pensionaatskosten te betalen. In de keuken moest ik de pannen schoonmaken, enorme ketels waar je bijna in kon wonen. In Fota had ik ook weleens pannen geboend, maar dit waren monsters, pannen voor een reus. Ik schrobde en ik veegde. De prinses was Assepoester geworden, maar ik vond dat niet traumatiserend. Dit soort werk had ik thuis en bij de zusters in Kiganda al eerder gedaan. Ik voelde me helemaal niet vernederd of ontmoedigd. De vrijheid had een prijs die ik graag betaalde.

Nieuwsgierig als ik was, zoog ik alles in me op. Berck bleek minder opwindend te zijn dan Parijs. In dat rustige stadje, waar het koud is, waar het vaak regent en waar je overal brancards ziet, draait alles om het ziekenhuis. De patiënten komen er vanwege de zeelucht. Hoe kwamen de blanken zo ongezond? Ik kon me een zieke, gehandicapte of gestoorde blanke niet eens voorstellen. Voor mij bleef dat gezegende ras voor zulk onheil gespaard.

Overal weer vrienden...

Ik had weer nieuwe vrienden gemaakt. Een van mijn vriendinnen in het internaat nodigde me eens uit om het weekend mee te komen naar de boerderij van haar ouders. Ze moest eerst haar familie voorbereiden op het feit dat ik zwart was, wat die mensen helemaal niet kenden! Ik denk dat ze Burundi in de atlas moesten opzoeken. Op de schoorsteen van de woonkamer stond een grote pot met muntjes van vijf francs. Wetend dat ik geen cent had, nam mijn vriendin er een handvol uit. Daarmee kon ik ook eens een rondje betalen! Dat gebaar raakte me diep. Wat er ook gebeurde, waar ik ook was, ik heb altijd het geluk gehad mensen te ontmoeten die me de hand reikten.

Algauw kende ik de stad op mijn duimpje en was ik bevriend met de jongeren uit de buurt. Ik was al snel de ster van de Cornet d'amour, waar de klanten verpleegkundigen of studenten waren. We organiseerde feesten, we dansten als zotten en de enige *black* in heel de stad danste de *jerk* als de beste. Ik had ook al snel een vriendje, een student medicijnen uit Berck. We rommelden net als iedereen dat deed. Ik was toen negentien en had nauwelijks enige seksuele voorlichting gekregen. Niet alleen was ik al meteen zwanger, maar ik ontdekte het pas in de zesde maand. Toen de ouders van Pierre, banketbakkers met ouderwetse opvattingen, begrepen dat hij uitging met een zwart meisje, trokken ze zijn toelage in. Onze levensstijl choqueerde hen. Pierre ging niet door de knieën.

De jonge moeder

Op 2 januari 1972 werd Frédérique geboren. Ik had nog gehoopt dat ik op 1 januari zou bevallen, want dan kreeg je premies, gratis luiers en alle mogelijk voordelen die we goed konden gebruiken! Ik had dagen en nachten daarvoor staan dansen, maar zonder resultaat. Drie maanden na de geboorte van de baby zijn we getrouwd. Op ons huwelijk werd mijn familie vertegenwoordigd door mijn broer Pascal, die daarvoor uit Denemarken was gekomen. Uit België kwamen er ook wat Burundese vrienden, zoals Antoine, de zwager van prins Rwagasore. Zij waren de enige Burundezen. Voor mijn familie was ik nog altijd geen onderwerp van gesprek. Voor het huwelijk in het stadhuis had ik mijn traditionele Burundese kostuum aangetrokken en in de kerk was ik in het hemelsblauw. De grootmoeder van Pierre kon zich niet inhouden toen ze me zag en riep: 'O, wat is ze zwart!' Ik keek in de spiegel en dacht: 'Ze heeft nog gelijk ook.' Ik had nooit echt racisme ondervonden en die spontane opmerking, zonder enige kwade bijbedoeling, bracht me terug op aarde.

Ik leefde van de ene dag op de andere. Ik had er geen idee van gehad wat de komst van de baby zou betekenen. Mijn schoonmoeder liet zich wel een beetje vertederen door onze kleine Frédérique, maar ze bleef altijd heel koel. Onze verstandverhouding is nooit echt hartelijk geworden.

De episode van de verpleegstersschool in Berck had dus maar

een jaar geduurd. Mijn man studeerde in Lille, waar ik me inschreef bij de rechtenfaculteit. Ik holde voorts van het ene baantje naar het andere. In de weekends was ik zaalhulp in de kliniek in Berck en door de week verkoopster in een kledingzaak. De meubels voor ons woninkje had Pierre zelf gemaakt van groentekisten en oude autobanken.... We knoopten met moeite de eindjes aan elkaar, maar we waren gelukkig en hadden een leuk leven. De komst van de baby had de familiale spanningen wel iets weggenomen, maar de ouders van Pierre hielpen ons financieel niet. Dan maar geen medicijnenstudie, dan werd hij wel fysiotherapeut. Pierre heeft heel veel moed en liefde getoond. Hij was jong. We hadden risico's genomen, hij had zijn ouders getrotseerd en aanvaardde de consequenties van zijn daden. Dat is mooi en ik ben blij dat ik hem hier de lof kan toezwaaien die hij zo verdient.

Ik had mijn eigen moeder al twee jaar niet gezien, maar toen ik in Berck ging wonen had ik haar laten weten hoe het met me ging. Ik kende haar goed genoeg om te weten hoe ongerust ze zich maakte en ik wilde haar geruststellen. Toen ze de uitnodiging voor het huwelijk had ontvangen, schreef ze mijn schoonouders. Ik heb een paar van onze brieven uit die jaren teruggevonden. Ik was altijd eerbiedig en liefdevol. Zij leek trots dat haar onuitstaanbare dochter, die als een dief in de nacht was vertrokken, nu in Frankrijk woonde, getrouwde vrouw en moeder was. Als in Fota iemand naar mij vroeg, zei ze altijd dat ze nieuws van me had en dat ze trots was op die welopgevoede en knappe dochter.

Hetzelfde jaar waarin Frédérique is geboren, ging ik naar Burundi, omdat ik mijn baby aan mijn moeder wilde laten zien. In Bujumbura, bij Alexis thuis, heeft Frédérique haar eerste pasjes gezet door de traptreden af te dalen... een voor een en achterstevoren! Die reis had geen enkel ander doel. Het was een familiebezoek en geen terugkeer. Ik bleef wrok koesteren jegens Burundi. Ik was nog niets vergeten en riep tegen iedereen die het wilde horen dat mijn leven en mijn toekomst zich voortaan in Frankrijk afspeelden.

Een deur opent zich

Naast de banketbakkerswinkel van Pierres ouders in de Rue Carnot was de kapperszaak van Dominique, een goede kennis van me. Op een dag zei hij ineens: 'Jij moet mannequin worden.' Eerst reageerde ik niet, maar hij liet zich niet afpoeieren en bleef aandringen: 'Wat doe je toch in Berck? Een meisje als jij heeft alles om mannequin te worden.' Het woord riep vaag bepaalde rubrieken in herinnering van de *Paris-Match* die we in het paleis lazen. Ze gingen over de onbekende, geheimzinnige wereld van Grace Kelly, Alain Delon en nog een hoop anderen, van wie ik niet eens wist of ze wel echt bestonden. Hoe dan ook, Dominique werd mijn tweede goede fee in Frankrijk. Hij drong zo aan en duwde me zoveel tijdschriften onder mijn neus dat ik hem ten slotte ben gaan geloven. We moesten naar Parijs, zei hij, waar een vriendin van hem een modellenbureau had. Ik had alle vertrouwen in Dominique. Maar laten we wel wezen, wie vertrouwde ik niet? Hij geloofde heilig dat ik een kans maakte en regelde een afspraak. We spoorden naar Parijs in dezelfde trein die me op mijn eerste reis zo nieuwsgierig en zo bang had gemaakt. Ik kneep hem geweldig: wat had ik, een zwart meisje, gemeen met die vrouwen uit de modebladen?

De vrouw van het modellenbureau had een kantoor in het 16^e arrondissement. Nadat Dominique even met haar had gesproken, draaide ze zich om en vroeg onverhoeds: 'Kun je lopen?' 'Sinds mijn kindertijd doe ik niets anders,' zei ik spits. 'Kun je een jasje uittrekken?' 'Als ik er een had misschien, maar nu niet.'

Ze pakte haar eigen jasje van de kapstok en gaf me dat: 'Loop een stukje en trek het uit.' Nadat ze me wat handigheidjes had geleerd om al lopend een jasje uit te trekken – achter je rug met je linkerhand de rechtermouw, en met je rechterhand de linkermouw, pakken, het kledingstuk af laten glijden en met een soepele beweging opvangen – belde ze naar Gaston Jaunet en regelde mijn eerste contract. Ik kreeg vijfduizend francs (zevenhonderdvijftig euro) voor een show van drie dagen in het kasteel van Jaunet in Cholet, voor een publiek van beroemde gasten van wie ik natuurlijk nog nooit had gehoord.

Tijdens de show keek ik goed hoe de andere mannequins het deden: ik regelde mijn pas naar die van hen, ik imiteerde al hun bewegingen en gebaren. Bij het slotdéfilé droeg ik een witte strapless jurk die ik dolgraag zelf wilde hebben. Ik waagde het om het te vragen aan de couturier, die meteen riep: 'Wie in het zwembad springt, krijgt die jurk.' Heel voorzichtig trok ik de prachtige creatie uit en nam een duik. Toen ik uit het zwembad kwam, was de jurk van mij. Gaston Jaunet heeft van mij de eerste Afrikaanse mannequin in Frankrijk gemaakt.

De modenomade

Die proefopdracht was een schitterende zet geweest: de vrouw van het modellenbureau vond me goed genoeg om me te lanceren. De retourtjes Berck-Parijs werden veelvuldiger. De stad die ik nu ontdekte, zag er heel anders uit dan het Parijs van mijn eerste tien dagen. Ik werd ondergedompeld in de modewereld. Het was bedwelmend en ik was tot alles bereid, ik wilde alle mogelijkheden uitbuiten. Eindelijk kon ik bijdragen aan ons huishouden, de huur betalen en babykleertjes kopen. Ik kon, kortom, bewijzen wat ik waard was.

Elk nieuw contract bood de gelegenheid om andere modellen te leren kennen, want je kwam elkaar tegen op de *castings*. Na de confectieshow voor Gaston Jaunet ging ik als enig zwarte mannequin naar een *casting* bij Christian Aujard. De couturier nam me meteen aan. Die samenwerking zou jaren standhouden. Ik werkte ook al snel voor Léonard, voor wie ik poseerde. Poseren is de fase waarin een kledingstuk vorm krijgt. De couturier maakte op grond van het ontwerp een model in linnen, dat op de mannequin wordt uitgeprobeerd. Soms moet er lang worden gezocht en aangepast en soms is iets meteen precies wat het moet zijn.

Als onvermijdelijk gevolg van dat andere leven was ik steeds vaker in Parijs en steeds minder in Berck. Gaandeweg kwam ik tot het besef dat een kind niet een kind kan opvoeden. Ik was zelf een meisje dat het leven nog moest ontdekken. Ik moest nog volwassen worden en in mijn eigen tempo uitvinden wie ik was voordat ik de verantwoordelijkheid voor mijn dochter aankon.

Op een dag nam ik Frédérique mee uit eten. Ze was nog maar drie jaar. Ik heb haar toen verteld dat ik haar vader zou verlaten. Ze begreep goed wat dat voor haar zou betekenen en begon te huilen. Hoewel dat op zich al hartverscheurend was, zou ik de gevolgen van die beslissing pas veel later kunnen overzien. Ik kon mijn kind niet meesleuren in het avontuur, waarvan ik zelf niet wist hoe het zou uitpakken. Bij haar vader zou ze een familie en een echt kinderleven hebben. Ik kon haar geen enkele zekerheid bieden. Aangezien ik haar niet wilde beroven van haar kindertijd, vond ik dat de enige optie, hoe hard het ook was. Dat Frédérique me zou verfoeien en dat het jaren zou duren voordat ze me zou begrijpen, was afschuwelijk maar onontkoombaar. Nog krimpt mijn hart als ik eraan terugdenk. Ik heb de kindertijd van mijn dochter gemist.

Af en toe ging ik naar Berck, maar ik was er niet echt welkom. Als ik Frédérique kwam opzoeken, zagen Pierre en ik elkaar buiten op straat. Voor zijn familie was ik degene die hun leventje was komen verstoren. Mijn vertrek had hun vooroordelen alleen maar bevestigd. Ik was een avonturierster die het leven van hun zoon had bedorven. Alsof ik zijn toelage had stopgezet... Maar het enige wat telt, is dat Pierre Frédérique een prachtige opvoeding heeft gegeven, samen met de twee kinderen die hij kreeg bij zijn tweede vrouw.

Tijdens de gebeurtenissen van 1972, waarbij duizenden Hutu en Tutsi de dood vonden en evenveel Burundezen de grenzen overstaken op zoek naar veiligheid, pendelde ik tussen Berck en Parijs. Afrika was ver van mijn bed, uit mijn gedachten en uit mijn hart. Ik had alle schepen achter mij verbrand. Ik weigerde me van mijn stuk te laten brengen door het drama dat zich er afspeelde. Ik wilde het niet weten, zolang mijn familie het maar goed maakte. Ondanks het weinige contact dat ik had met Fota, wist ik dat iedereen in veiligheid was. De rest kon me niet schelen. Wat mij betreft was het leven er al verwoest en kon het niet nog erger worden. Wij hadden alles verloren en mijn moeder stond er alleen voor. Wij hadden onze portie al gehad. Hoewel in Frankrijk geen aandacht was voor de rampen in dat geruïneerde landje, hoorde ik wel van de moord op mijn neef Charles, die een paar jaar tevoren enkele maanden de laatste koning van Burundi was geweest. Hij verdween in een massagraf.

Nee, ik wilde echt niet meer terugkijken. Het pensionaat van Berck was een onverwachte springplank geweest. Sindsdien keek ik nog alleen maar vooruit.

In 1974 vestigde ik me definitief in Parijs. In de mode gaat veel geld om, dat is bekend, en ik heb zonder meer goed verdiend. Maar gehandicapt door een totaal gebrek aan zakelijk inzicht, heb ik alles opgemaakt, zonder aan de toekomst te denken.

Ik had ook totaal geen gevoel voor de glamour van de modewereld. Die zag ik later pas, maar in die tijd gleed het allemaal langs me af. De mode was voor mij gewoon een manier om geld te verdienen. Ik vermaakte me uitstekend, maar de pailletten verblindden me niet. De opgefokte sfeer van de shows steeg me ook niet naar het hoofd. De mode was voor mij een onderlijning van schoonheid. Ik heb het vak van mannequin geleerd door te kijken naar anderen en door te luisteren naar de couturiers. Zij hebben me geleerd hoe ik het beste van mezelf, wat je misschien 'allure' zou kunnen noemen, naar voren kon halen... Schoonheid is zo betrekkelijk, ze is volledig afhankelijk van de blik van de ander en van culturele maatstaven. Ik werd me bewust van de voordelen van mijn opvoeding en hoe belangrijk het was geweest dat de zusters me hadden verplicht rechtop te zitten, met de handen op de rug! Die opvoeding en de regels die me van kleins af aan werden ingeprent, hebben me geholpen mijn brood te verdienen. Dankzij die opvoeding kon ik het maken in de modewereld. De houding waardoor ik opval, is wat ik ben. Ze is het resultaat van de strenge hand van mijn moeder en van de ongebreidelde verbeeldingskracht van mijn vader.

Ik moet altijd lachen als ik zie hoe aankomende mannequins leren lopen. Ze leggen een stapeltje boeken op hun hoofd om hun houding te verbeteren. Dat deed ik als kind al! Samen met de vrouwen uit de heuvels droeg ik bijna dagelijks kalebassen en manden op mijn hoofd. Afrika vloeit door mijn aderen, toont zich in al mijn bewegingen en komt te voorschijn in de manier waarop ik een kledingstuk draag. Een Afrikaan laat zich op de markt of in de menigte nooit opjagen. Een Afrikaan kan zweven, alles ontwijken en toch heel aanwezig zijn. Die lichaamstaal bezit ik van nature.

In het begin leidde ik in Parijs naar gelang de wisselvalligheden van mijn privé-leven een nomadisch bestaan: Rue La Boétie in het 8ste arrondissement, Boulogne en dan weer het 18e arrondissement. Uiteindelijk streek ik neer in de Rue des Vignes, in het 16e arrondissement, waar ik vijftien jaar heb gewoond. Ik reisde onophoudelijk. Ik was een echte modenomade. Ik reisde alles bij elkaar opgeteld een paar keer de wereld rond, met af en toe lange tussenstops. Voor een contract met Lancetti woonde ik een jaar in Rome. Ik was toen zijn muze en hij deed geen show zonder mij. Eén keer viel zijn persshow gelijk met die van Valentino, met wie ik al een contract had. Lancetti wilde me niet laten gaan. Altijd weer vond hij iets om te voorkomen dat ik voor zijn concurrenten werkte. Het was een creatieve bloeiperiode met Mugler, Beretta, Issey Miyake, Chacherel, Aujard, Dorothée Bis, Mic-Mac... allemaal giganten. Ik was toen al topmannequin en ik heb voor al die couturiers shows gelopen. Spelenderwijs varieerde ik van stijl, durf, gevoel, inspiratie en genie, met schitterende, geraffineerde toiletten of excentrieke en baanbrekende ontwerpen. Ik beheerste het vak tot in mijn vingertoppen.

Ik heb jarenlang voor Léonard gewerkt tot op de dag dat ik een onvergeeflijke fout beging: de ochtend dat ik de Parijse persshow moest openen hoorde ik mijn wekker niet afgaan. Toen ik aankwam, wierp meneer Tribouillard, de president-directeur, me een duistere blik toe die niets te raden overliet: het avontuur was voorbij. Ik heb niets durven zeggen, maar ik heb met die man altijd een bijzondere vertrouwensband gehouden.

Ingehaald door Afrika

Heel ongemerkt had zich in mijn denken een verandering voltrokken: ik had me verzoend met Afrika. Zonder nog te overwegen voorgoed terug te keren accepteerde ik weer de Afrikaanse cultuur. Ik kon ervoor uitkomen dat ik door en door Afrikaans was. Voortaan liet ik overal waar de shows me brachten trots mijn eigen continent defileren op de catwalks. Ik eiste erkenning voor mijn anderszijn. Ik was een Afrikaanse prinses en mijn naam was Kamatari. Die aanvaarding was het begin van mijn verzoening met Afrika. Maar voorlopig bleef ik, wanneer ik aan mijn geboorteland dacht, vooral een gekwetste puber die haar vaderland zag als de oorzaak van al haar ongeluk.

Voordat ik het zelf besefte, was ik binnen de kortste keren een bezienswaardigheid geworden: zwart, prinses en mannequin, dat kon niet iedereen van zichzelf zeggen. Als ik werd uitgenodigd op recepties die niets met mode hadden te maken, stond ik erop om voorgesteld te worden als degene die ik was, Esther Kamatari, prinses van Burundi. Onzekerheid alom. Mijn gesprekspartners, die meestal niet eens wisten waar Burundi lag, raakten nog meer in de war omdat ik sprak zonder Afrikaans accent. Als je kind bent geweest in hofkringen leer je wel om je in gezelschap te gedragen en om de meest bekakte accenten te imiteren als het moet! Voor mensen die zich Afrikanen voornamelijk naakt achter een tamtam voorstelden, was het een hele verrassing om in gelambriseerde zalen, champagneglas in de hand, met mij te converseren.

Ik hechtte aan mijn titel: prinses en niet Doorluchtige Hoogheid, want mijn vader was de broer van de koning en niet de koning zelf. Op dat onderscheid legde ik zwaar de nadruk. Ik zag aan de gezichten dat mensen zich afvroegen hoe zo'n onbeduidend Afrikaans staatje na de kolonisatie nog een koning kon hebben. Hun scepsis irriteerde me vreselijk en het was vermoeiend om alsmaar alles te moeten uitleggen. Maar ik had een even groot probleem met mensen die juist met me opschepten. Ze gingen met me om omdat ik een prinses was met een 'Europese opvoeding'... Ik was hun excuus-Afrikaanse. Die rol lag me helemaal niet. Maar ik bleef hardnekkig alle politieke en culturele milieus aflopen, omdat ik het gevoel had een missie te vervullen en een boodschap te moeten uitdragen. Geleidelijk aan bewoog ik me echter steeds meer in de Afrikaanse milieus van Parijs.

Op het filmfestival van Cannes, in het midden van de jaren zeventig, was ik nog de enige zwarte. Iedereen keek op als ik passeerde, tot grote vreugde van de mensen die me hadden ingehuurd. Ik was een marketingobject geworden en ik werd ongetwijfeld vaak uitgebuit als promotiestunt. Ik sleepte daar altijd wel weer iets positiefs uit, voor Afrika of voor mezelf.

Ondanks de hoge werkdruk leidde ik een heel leuk leven. Ik was mondain, ik sloeg geen cocktailparty over. Ik was een onvermoeibare en onverzadigbare *partyhopper* en mijn ongeregelde leven speelde zich voornamelijk af in restaurants en nachtclubs. Als echte dochter van mijn vader zat ik boordevol energie. De eerste keer dat ik in de club van Jean Castel kwam, haalde hij zijn gastenboek en zijn foto's te voorschijn. Jaren voordien was mijn oom bij hem te gast geweest en dat was hij niet vergeten. Castel zou mijn beste vriend worden in Parijs. Hij was bijna een familielid en hij werd later peetvader van mijn tweede dochter.

Mijn carrière leed niet onder dat nachtleven. Een mannequin moet natuurlijk ook 's ochtends al toonbaar zijn en de sporen van doorwaakte nachten mogen niet op haar gezicht te lezen zijn. Maar het voordeel van een zwarte huid is dat kringen onder je ogen minder opvallen.

Een echt vak

Ik heb veel gewerkt voor de Fédération de la haute couture. Met zijn twaalven reisden we de wereld rond om de Franse haute couture te promoten. We werkten met een heel strenge choreograaf, Norbert Schmit. Nog hoor ik hem brullen: 'Met zulke benen kun je toch wel een beetje mooier lopen, alsjeblieft. Ik wil grote stappen zien, verdorie!' Het was de tijd van de grote theatrale modeshows. Gewoon van A naar B lopen en weer terug, zoals ze dat nu doen, kon in die tijd helemaal niet. We voerden echte balletten op, volgens een uitgewerkt scenario.

De choreografieën waren soms zo ingewikkeld, zo moeilijk te onthouden en uit te voeren, dat er nogal eens iets misliep. Bij voorbereidingen van een show van Paco Rabanne in Japan verliepen de repetities uiterst moeizaam. De choreograaf schold me uit waar de Japanners bij stonden. Hij vond dat ik zijn bewegingen niet goed uitvoerde. We hadden heel die choreografie in Parijs al gedaan en ze moest worden aangepast aan de nieuwe locatie van de show. Na een tijdje jankte ik van schaamte en frustratie. De choreograaf ging vreselijk tekeer. Zo was ik niet opgevoed, ik was niet gewend aan die brute manier om iemand uit te schelden in bijzijn van anderen. Waar ik vandaan kom, praten de mensen zachtjes. Er wordt nooit geschreeuwd. Paco Rabanne wachtte totdat de choreograaf was uitgeraasd. Toen beklom hij het podium om hem zijn vet te geven: 'Wie denk jij dat je bent om zo met mensen om te gaan? Zolang je voor mij werkt, houd je je in. Zonder Esther, zonder mannequins was jij nergens, want zonder hen is er geen show.' Berg je maar als Paco kwaad wordt! Wat een opsteker voor een jonge vrouw om openlijk te worden gesteund door een man van zo'n kaliber. Het is te weinig bekend dat er in de modewereld een paar heel grote mensen rondlopen. Wij waren de meisjes van Paco, we waren zijn beschermelingen en onder zijn vleugels voelden we ons veilig. Hij hield oprecht van ons. We mogen ook niet vergeten dat Paco altijd is opgekomen voor de zwarten. Hij werd zelfs tien jaar lang door een paar grote modebladen geboycot omdat hij zwarte mannequins in dienst had.

Niet alleen liep ik in alle grote shows, ik was ook de eerste zwarte bruid van Lanvin. Dat ik werd geadopteerd door al die couturiers was het begin van een omwenteling: de opkomst van de zwarte Afrikaanse mannequins. Voor die tijd haalde een zwarte nooit de cover van een tijdschrift. De eerste reclame waarvoor een zwart model werd gebruikt was, geloof ik, een advertentie voor de banketbakkersproducten van Vahiné. Ik moet zeggen dat er onder modellen onderling geen sprake was van racisme. Ik herinner me maar één geval. Het gebeurde tijdens de confectieshow aan de Porte de Versailles. Bij de afsluiting van de show speelde ik de bruidsjonker die de sleep droeg. Ineens draaide de mannequinbruid zich om en riep: 'Laat mijn sluier los, smerige negerin!' Ik haalde spontaan uit en gaf haar, midden op het podium, een klets in haar gezicht. Ik werd op staande voet ontslagen en vertrok meteen, walgend van al die mensen die de belediging hadden aangehoord zonder iets te doen. Mijn charmante collega hing het slachtoffer uit, de arme blanke die was mishandeld door een amok makende wilde. En niet eens achter de schermen, maar op de catwalk!

Ik ben ook pasmodel geweest voor Jules-François Crahay, de

ontwerper van Lanvin, die helaas is overleden. Hij was een man voor wie ik een oeverloos respect had. Als pasmodel stond je gekapt, opgemaakt en met een witte jas aan de hele dag ter beschikking van de stilist. Hij probeert zijn ontwerpen telkens uit op de mannequin, brengt veranderingen aan en verdwijnt weer om die te gaan verwerken. Soms waren dat slopende dagen, waarop je in hoog tempo avondjurk, mantel en het ene kledingstuk na het andere moest passen. Soms was het juist heel kalm. Haute couture wordt op mannequins gemaakt. Van die creaties worden dan weer de series gemaakt die in de confectiewinkels te koop zijn.

Pasmodel bij Lanvin zijn was in de tijd dat mevrouw Jeanne Lanvin nog leefde echt een enorme eer. Die *grande dame* bezat de volmaakte oude Franse chic. Had ze voor mij ooit een negerin van dichtbij gezien? Ze droeg een vracht aan parels en lakte dagelijks haar beroemde zware, bijna gekartonneerde, *chignon*. Als ze binnenkwam, schoot iedereen bevend in de houding. Op een dag kwam ze de kleedkamer van de mannequins binnen en riep toen ze mij daar zag: 'O! Een zwarte!' waarop ik meteen terugriep: 'O! Een blanke!' Heel het huis sprak erover. Ik hing nog steeds graag de clown uit, net als in mijn kindertijd.

Voor Lanvin heb ik een complete collectie gedaan, zes maanden passen afgerond met een persshow. En als letterlijke kroon op het werk werd op mij de jurk gemaakt die de vrouw van de Afrikaanse keizer Bokassa droeg bij de kroning van haar man! Lanvin had voor die gelegenheid een prachtstuk gemaakt. Het prototype was van inheems Afrikaanse stof, afgezet met edelstenen. De hoofdcoupeuse vloog voor het passen naar Bangui en werkte de veranderingen in Parijs op mij uit. Ik speelde keizerin in de gangen van het atelier.

Kortom, het leven kon niet mooier en spannender. Er waren verrassingen van allerlei aard, zoals een zeer informele ontmoeting met de Australische minister-president toen ik in 1979, afgevaardigd door mijn New-Yorkse agent Zoli, werd gekozen tot 'miss Fashion'. Ik zie nog de spandoeken op het vliegveld en ik herinner me nog mijn opwinding toen ik werd uitgenodigd in het beroemdste Australische tv-programma van toen, *The Quest of Quest.*

Ik had heel veel vrienden in het vak. We waren allemaal freelancers, maar toch was er teamgeest. Er bestond geen jaloezie tussen ons. Integendeel, we speelden elkaar contracten door. Het enige wat ons interesseerde was kleding zo goed mogelijk te presenteren. We waren een club van vijftien meisjes. We verdienden vast minder dan de mannequins van nu. Maar wat hadden we een prachtig bestaan! We leefden bij de dag, op het ritme van het reizen, in luxe en zonder ons zorgen te maken voor later. We logeerden altijd in schitterende hotels. Om een kamer alleen te krijgen heb ik iedereen heel lang wijsgemaakt dat ik snurkte. Mijn kamer werd al snel ons clubhuis, waar we samenkwamen en waar alle feesten werden gehouden...

Het delen van hotelkamers had ook grappige kanten. In het Beverly Hills Hotel in Los Angeles moest ik mijn kamer eens delen met Svetlana, een Russin die we KGB noemden. KGB rookte niet en ik wel. In plaats van dat ze me gewoon vroeg om in de kamer niet te roken, speelde ze het met verstikking bedreigde slachtoffer. Ik maakte daar handig gebruik van door te doen of ik niets doorhad. Nu waren die kamers overdreven groot. Toen ik op een avond terugkwam vond ik onze kathedraal half leeg. Het bed van KGB was verdwenen. Ze had het naar het balkon gesleept om de sigarettenrook te ontvluchten!

Tijdens de tournees werden 's avonds de choreografieën aangepast, we namen alle scènes nog eens door en we rookten en kletsen tot vroeg in de ochtend. Het was een verlengde adolescentie. Ik beleefde de zorgeloze jaren die ik door de dood van mijn vader had gemist. De mannequins waren mijn jeugdvriendinnen. Ze hebben in mijn leven de rol van schoolvriendinnen gespeeld. Tegenwoordig is het vak veel individualistischer en de carrières beginnen veel vroeger. Wij waren misschien wel naïef, maar wij waren meerderjarig en we hadden iets meer tijd gehad om een eigen mening te vormen. Ik word huiverig als ik die beeldschone mannequins van veertien, vijftien jaar zie: die kinderen zijn veel te vroeg weggerukt uit hun normale puberleven.

Het vak van actrice heeft me nooit echt aangetrokken, ook al vond iedereen dat ik er talent voor had. Een auditie voor een film met Louis de Funès liep op niets uit. Ik kon geen woord uitbrengen. Niettemin had ik een onvergetelijk optreden in een film van de Charlots. De scène speelde zich af in Parijs aan de Seinekade. Ik nam net een indrukwekkende pose aan toen de boot van de Charlots fullspeed voorbijvoer en me drijfnat spatte. Mijn enorme afrokapsel werd een en al kroes en ik sprak met een zwaar Antilliaans accent de onsterfelijke woorden: 'Mijn permanent!' Dat was mijn enige bijdrage tot de zevende kunst.

Ik weet trouwens niet of ik filmen leuk gevonden zou hebben; dingen telkens opnieuw doen is niets voor mij. Daarom deed ik ook liever shows dan fotosessies. Ik deed het wel af en toe, maar ik zocht het niet op. Ik houd van show, van het contact met het publiek. De emotie in de ogen van de toeschouwers geeft pure energie die alle batterijen weer oplaadt! Trouwens, in mijn tijd bestond er nog geen 'zwarte markt'. Geen agentschap zou een consumptieartikel een zwart imago hebben gegeven. Een reclame voor Dim was de enige uitzondering die deze regel bevestigde.

Ik liep eens gekleed als Josephine Baker in een show van Anne-Marie Beretta in het Louvre. Ik was haar muze omdat ze vond dat ik een 'ondeugende arrogantie' bezat. Aan het eind kwamen de tweeduizend aanwezigen overeind en gaven me een donderend applaus. Die ongelooflijke kracht gaf me de koude rillingen. Het evenement was een hele pagina waard in *Marie-Claire*. Hoe zou je ooit kunnen leven zonder die ambiance? Vlak voordat de show begint wordt iedereen in de kleedkamer enthousiast door de schoonheid van al die creaties. Mannequins, kappers, kleedsters, niemand ontkomt eraan, de koorts krijgt telkens weer iedereen te pakken. Je recht je rug, je strekt je billen, je trekt je buik in, je staat stijf van de zenuwen, het hart klopt in de keel en de maquilleurs brengen nog een laagje poeder aan. Je zou in de grond willen verdwijnen, maar je loopt door, meegesleurd door de show. Wij mannequins vormen de brug tussen het publiek en de ontwerper. In het Louvre droeg ik een strapless jurkje dat Anne-Marie Beretta had laten verven in de kleur van mijn huid; de stof reikte tot de heupen en werd verlengd met fazanten- en pauwenveren. Ik droeg een koperen kroon en koperen armbanden, ik leek sprekend op Josephine Baker. De spots verblindden me, ik wankelde even. Je kon een speld horen vallen en voelde de emotie opkomen. Om die nog te versterken stond ik even stil, liet het moment even inwerken en liep dan pas door. Glimlachen, vrouwen bekoren en ze laten voelen dat er tussen hen en ons geen rivaliteit is. De shows worden niet bedacht om mannen te behagen, maar om wat we dragen tot zijn recht te laten komen. Op die manier brengen we hulde aan het werk van een ontwerper. Voor mij is de essentie van een modeshow de verheerlijking van de haute couture door de vrouwen die naar ons kijken: 'Kijk en bewonder het prachtigs dat ik draag.' In heel de wereld kunnen misschien tweeduizend vrouwen zich die jurken van duizenden euro's permitteren. Die vrouwen moeten we overtuigen, en de media natuurlijk, die een ontwerper kunnen maken en breken.

Eén collectie van Léonard is me speciaal bijgebleven. De show die door mij werd aangevoerd, opende met badkleding, tassen en schoenen. Ik wilde absoluut direct de aandacht van het publiek vangen. Ik kwam op in badpak, zo relaxed alsof ik op het strand liep. Aan het einde van de catwalk haalde ik een badlaken en zonnebrandolie uit mijn tas. Ik zocht een goed plekje uit om in de spotlights te gaan zonnebaden. Ik voerde een toneelstukje op, ging liggen, smeerde me uitgebreid in, zette een zonnebril op, pakte een boek en begon rustig te lezen. Dat was helemaal niet afgesproken.

Tribouillard, de baas van Léonard, stond stijf van verbazing in de coulissen. Het publiek verwachtte dat ik zou opstaan en weer zou weggaan, maar ik bleef liggen. Toen kwam Tribouillard weer bij zijn positieven en stuurde de andere meisjes het podium op. Een lange minuut verstreek. Toen het eerste meisje opkwam, stond ik op en vertrok onder luid gelach. Als zo'n act lukt, zit je verder gebeiteld bij het publiek.

In de tijd van dat mondaine leven ben ik niet één keer in Afrika geweest. Ik kreeg brieven en foto's van mijn broer Pascal en mijn zusje Fabiola en ze kwamen me ook wel opzoeken. Ik werd wel regelmatig onverwacht aan mijn afkomst herinnerd. Eind jaren zeventig wilde ik op een avond in spijkerbroek en op tennisschoenen een discotheek aan de Champs-Élysees binnen. Bij de deur ontmoette ik een vriend die geschokt reageerde op mijn outfit: 'Je mag hier niet zo komen! Je hebt een stand op te houden, je moet meer respect tonen voor jezelf en je familie.' Die opmerking raakte me diep. Feesten en lekker leven is oké, maar je mag je niet laten gaan. Die avond heb ik afgehaakt. Toen ik weer eens naar diezelfde discotheek ging, was het in groot tenue. Het was goed dat ik iemand ontmoette die me de waarheid zei. Zijn harde woorden hebben me wakker geschud.

Uitspattingen, drugs en misbruik van van alles waren heel normaal in de kringen waarin ik toen verkeerde. Ik werd beschermd door principes en een ingetogenheid die heel diep zaten en die beletten dat ik te ver ging. Hoewel de 'losbandigheid' uit die jaren niets was vergeleken bij wat er in de twintig jaar daarna zou worden vertoond. Eigenlijk was het een hele aardige, brave tijd.

De Amerikaanse illusie

In het begin van de jaren zeventig hadden een paar jonge Afro-Amerikaanse mannequins, onder wie de beroemde Pat Cleveland en Toukie Smith, veel succes in Europa. Geruggensteund door dat succes gingen ze terug naar Amerika, waar ze echte *stars* werden. Aangezien ik in Europa al aardig beroemd was, besloot ik me ook aan een Amerikaans avontuur te wagen.

Ik nam dat besluit, zoals gebruikelijk, heel impulsief, en ik vertrok in de vaste overtuiging dat ik in Amerika triomfen zou vieren als de Afrikaanse sensatie. En dat was een tactische vergissing. Het Europa-effect dat de Amerikaanse meisjes zo had geholpen, werkte niet in mijn geval. In New York was ik in zee gegaan met een groot agentschap, Zoli, dat veel in me zag. Bij Zoli zagen ze de dingen net zo simpel als ik: de prinses ging fortuinen verdienen en zou bijgevolg Zoli veel geld opbrengen! Maar behalve een paar eervolle contracten, zoals een dubbele pagina als Cleopatra in *Town and country* (ik geloof niet dat een andere zwart model voor mij dat had bereikt), die een erkenning was voor mijn cultuur waar ik trots op kon zijn, kwam er niets wat geld opleverde. De Amerikanen vonden de mannequin-prinses prachtig, maar ik kreeg bitter weinig aanbiedingen. Geen enkele Amerikaanse zwarte kon zich echt met mij identificeren, dus de catalogi en grote merken waren uitgesloten. Ik had de Amerikaanse markt niets te bieden. Ik ben Afrikaanse en hoewel de Amerikaanse zwarte vrouwen erg aan hun roots gehecht zijn, verschillen ze erg van vrouwen die in Afrika zijn geboren en opgegroeid. Achteraf bekeken weet ik dat die New Yorkse ambitie het einde van mijn carrière inluidde.

Net als in Parijs leidde ik in New York een drukbezet uitgaansleven. Het waren de hoogtijdagen van de beroemde nachtclub Studio 54, waar legendarische feesten werden gegeven. Ik vierde er mijn verjaardag te midden van de vips. Als toppunt van chic brak ik er zelfs, op de vooravond van een vertrek naar Rome, mijn been op de dansvloer. Andy Warhol gaf de bovenkant van het gips mijn huidskleur en tekende een sok en een schoen op de onderkant. Twee maanden later, op een groot feest in een andere trendy club, de Xinone, verwijderde een dokter met een grote schaar publieke-lijk het gips, waarna er champagne werd geschonken en gedanst, ook door mij op mijn krukken.

Ik ben niet lang in New York gebleven. Ik voelde dat die manier van leven uit de hand kon lopen. Op klaarlichte dag zag je drugs-dealers en crimineeltjes. Ik wilde terug. Maar wilde Parijs mij nog wel? Ik was nog steeds niet erg spaarzaam, ik had dus niets achter de hand en beschikte alleen maar over de inkomsten uit mijn laat-ste contract. Wel was ik zo verstandig geweest om mijn flat aan te houden, daar trok ik weer in en ik hoopte dat er iets zou gebeuren voordat ik helemaal rood kwam te staan.

De harde landing

Ik had niet alle contacten verbroken met de grote couturehuizen en zoetjesaan kon ik weer aan de slag, maar ik deed niet meer echt helemaal mee. Mijn carrière kwam net weer op gang toen ik in mei 1981 een motorongeluk kreeg waardoor ik een jaar niet kon werken. Ik was met een maatje op weg naar Deauville. We gingen een paar dagen naar zee om mijn moraal op te peppen na een te-leurstelling in de liefde. We zijn nooit verder gekomen dan Evreux. De motor brak in tweeën. Ik vloog met het achterwiel en onze ba-gage een weiland in. Mijn vriend was ernstig gewond en lag tien dagen in coma. Ik had een kapotte arm, de botjes van mijn hand waren verbrijzeld en ik had een kleine bekkenbreuk. Ik was be-wusteloos en ontwaakte toen de ambulance arriveerde. Een dokter boog zich over me heen en ik wist meteen dat ik het zou halen: je wordt niet verliefd op de drempel van de dood. Degene die later mijn man zou worden, vervulde zijn dienstplicht als ambulance-arts. Hij raapte me op toen ik in een nogal gehavende staat op Rijksweg 13 lag en had een zeer heilzame uitwerking op me.

Ik bleef tien dagen in het ziekenhuis van Evreux, tien lange dagen waarin ik elke passerende verpleegster en dokter uitvroeg: 'Wie was toch die jonge arts die mijn leven redde?' Mijn enige aanknopingspunt was dat hij een bril droeg. Mijn kamergenote, een meisje uit de streek, kreeg veel bezoekers die lekkere dingen voor haar meenamen, waaronder kersen die ze gul met me deelde en die ik bewaarde voor het geval mijn redder me zou komen bezoeken. Ik heb zo gezanikt en gesmeekt dat het ziekenhuispersoneel om van me af te zijn is gaan nakijken wie er die dag dienst had op de ambulance. En ze hebben hem laten weten dat de patiënte op kamer x hem absoluut wilde bedanken. In afwachting van zijn komst heb ik mezelf streng toegesproken, ik heb me opgetut, ik heb kranig loopoefeningen gedaan. Op een dag stond Gilles voor me in zijn wijde blauwe overjas en zijn witte dokterskiel... Ik heb hem kersen aangeboden, hij heeft me geholpen het ziekenhuis te verlaten, bood me nog wat medische adviezen en... en een afspraakje bij Castel.

Ik heb een hele tijd niet kunnen werken en mijn ster, die toch al een beetje was verbleekt, verloor nog meer van zijn glans. Ik reisde steeds minder ver. Naar Brussel in plaats van naar Tokio. Het leven was minder hectisch. Ik had veel minder geld, al werkte ik nog steeds. Ik was een goede mannequin en ook in ons vak zijn goede krachten schaars. Grote shows met choreografieën raakten uit. Het was mijn tweede contract bij Anne-Marie Beretta. De mode was vrolijker en kosmopolitischer dan die van nu, met mannequins uit alle mogelijke windstreken, zwarte, blanke, Japanse, allemaal door elkaar. Tegenwoordig heet alles wat anders is 'etnisch', het is een marketingconcept geworden. Ik zou niet graag een etno-Esther zijn geweest. Dat is me gelukkig bespaard gebleven.

De terugkeer van het wonderkind

Was het een gevolg van mijn stabiele liefdesleven of gewoon een kwestie van tijd? Mijn weerzin tegen mijn land nam af. Op een dag in 1982 werd ik tot mijn grote verrassing in het 16e arrondissement op straat aangesproken in het Kirundi. Het was de Burundese ambassadeur, die me hartelijk uitnodigde eens bij hem langs te komen. 'Voor mij was het indertijd vreselijk ingewikkeld om uw vader en uw oom te ontmoeten. Je moest naar het hof gaan en audiëntie aanvragen, maar u hoeft maar een paar straten ver te gaan,' was zijn manier om me duidelijk te maken dat ik welkom was, wat niet het geval was geweest bij zijn voorgangers.

Zo is de animo en eigenlijk de behoefte gegroeid om mijn land terug te zien en de familiebanden aan te halen. Ik nam Gilles mee om hem aan mijn familie voor te stellen. We maakten verschillende reizen, de eerste onder barre omstandigheden, ten tijde van het bewind van kolonel Bagaza, die niets naliet om het een Kamatari moeilijk te maken. Met een onzinnig smoesje werd bijvoorbeeld ons paspoort in beslag genomen en we moesten ons in bochten wringen om het weer van het ministerie van Toerisme terug te krijgen. Maar wat echt telt, is dat ik mijn broer Pascal heb kunnen omarmen. Na zijn terugkeer uit Denemarken was hij in zaken gegaan, ging failliet en kocht een oude, gedeukte autobus waarin hij nu broodjes verkoopt op de markt van Bujumbura. Gilles werd halsoverkop verliefd op Afrika.

Het begin van een nieuw leven

Omdat de familie van Gilles me wilde leren kennen, begon hij zijn ouders voorzichtig voor te bereiden op de schok. Deze heel klassieke familie had tot dan toe nog geen gemengde huwelijken meegemaakt. Gilles moest ze eerst laten wennen aan het idee dat ik echt héél erg zwart ben. Onze D-day werd een etentje met de hele familie. Ik koos de netste jurk die ik kon vinden, een zwarte jersey zonder fantasietjes. Om iets omhanden te hebben liet ik de bloemen niet bezorgen, maar bracht ze zelf mee. De voltallige familie was present, geen van de acht kinderen ontbrak. Ik had het niet meer.

Ik was meteen gecharmeerd van mijn toekomstige schoonvader, die alles wist van Burundi en die me het hemd van het lijf vroeg. Iedereen keek zijn ogen uit, maar we gedroegen ons allemaal heel beschaafd! Als voorgerecht was er krab die moest worden ontleed met speciaal bestek. Een helse opgave. Iedereen keek naar mij. Zou ik weten waar een vingerkom toe dient? Met mijn uitstekende bourgeoisopvoeding liet ik eerst de gastvrouw plaatsnemen en wachtte ik met eten tot zij aan de krab begon, wat me bovendien de tijd gaf om te kijken wat mijn tafelgenoten met dat bestek deden. Al snel merkte ik dat ik er niet mee overweg kon en ik vroeg Gilles om me te helpen. De groentetaart en de daaropvolgende gangen leverden geen problemen op. Ik slaagde met glans voor het examen. Het deed er niet meer toe of ik groen, wit of gestippeld was. Ik was gewoon de vrouw op wie Gilles verliefd was. Ze wist zich te gedragen en ze kon in de familie worden opgenomen.

Heel vaak is racisme gewoon een kwestie van opvoeding. Het heeft meer te maken met sociale dan met raciale vooroordelen, met een verschil in gewoonten en gebruiken. Omdat ik ben opgevoed bij nonnen en in een strenge familie, heb ik de omgangsvormen van de Franse bourgeoisie. Daar heb ik altijd veel plezier van gehad.

Hoewel ik bleef werken als mannequin, ging ik ook andere dingen doen. Twee jaar nadat ik Gilles had leren kennen, reed ik de rally Parijs-Dakar in de communicatietruck. We moesten de etappe-uitslagen doorgeven aan de media. Ik belandde door een lolletje onder vriendinnen in dat avontuur, zo van: 'Dat durf je nooit!'

We waren nog steeds als pubers. We kwamen uit Saint-Barth en vierden na een reis naar Chili met de collecties van Paco Rabanne op uitnodiging van Paco even vakantie in Guadeloupe. Daar lieten we ons oppikken door een steenrijke man die ons uitnodigde op zijn jacht, zogenaamd om zijn vlinderverzameling te laten zien... Op de boot werden we ontnuchterd door zijn gedrag en zijn voorstellen. Toen we daar niet op ingingen, zette de miljardair ons overboord. We moesten terugzwemmen naar het privé-strand van ons hotel. Gelukkig was het niet ver. In het hotel hebben we in allerijl onze spullen bij elkaar gegrist. In nog natte badpakken sprongen we in een taxi. De boze chauffeur was bang voor de bekleding en liet ons op bananenboombladeren zitten. Een van de mannequins was de vrouw van Thierry Sabine, de organisator van Parijs-Dakar. Tijdens dat bewuste uitstapje in Guadeloupe stortte ik me in het rally-avontuur: ik nam de uitdaging van mijn vriendinnen aan zonder te beseffen waaraan ik begon.

In het Parijse warenhuis Samaritaine schafte ik me de outfit aan die volgens mij hoorde bij de doorgewinterde rallyvrouw. Een spijkerbroek en bijpassende lichtblauwe tennisschoenen. Beeldig, ik leek wel een mannequin. Ik kocht ook eetgerei. Ik trok de woestijn in alsof ik ging shoppen in Parijs, zonder te beseffen hoe koud het er 's nachts was. Bij het eerste avondeten in het bivak hield ik het handvat van mijn gamel niet goed vast en stortte de soep over mijn leuke sandaaltjes. Na een paar dagen al smeekte ik een coureur om me zijn schoenen te verkopen.

De communicatietruck werd verondersteld de stand van het klassement door te geven, maar meestal arriveerden we, net als de lichte cavalerie, als de strijd al was gestreden. Van de tien mensen die in de truck meereden, kende ik niemand. Ik was de enige vrouw en de enige zwarte in een ploeg die het woord 'hoffelijkheid' uit het woordenboek had geschrapt. Het was ieder voor zich, je eigen rantsoen, je eigen drankjes. Ik kreeg een pittig lesje in nederigheid. Als je je in twee dagen niet hebt gewassen en je komt eindelijk bij een waterpunt, kleedt iedereen zich uit en wast zich uit dezelfde emmer. We kwamen als allerlaatsten aan in Dakar. Ik had nog maar één wens, terug naar Parijs en naar Gilles... en naar mijn cosmetica, de televisie en mijn eigen bed!

Een jaar later reed ik nog eens als amateur een autorally, Parijs-Tunis. Mijn racecarrière was daarmee voorbij. Maar zulke ervaringen leerden me het leven kennen zoals het is: me niet wassen, uit mijn eigen omgeving weg zijn en geen vedette maar gewoon een nummer zijn. Niemand om mee te praten; nergens naar de wc kunnen; geen boom om je achter te wassen als je water hebt bemachtigd – het heeft me bescheidenheid geleerd. Ondanks het vuil, de droge huid, de gebroken nagels en de brandende dorst, waardeerde ik de competitie waarbij het niet gaat om de vraag: 'Ga ik winnen?' maar om: 'Zal ik het volhouden?'

Mijn leven onder de schijnwerpers was volslagen wereldvreemd geweest. Ik had geen flauw idee wat er omging in de maatschappij. Gelukkig heb ik geen blijvende schade opgelopen. Mijn motorongeluk heeft me voor het ergste behoed. Als dat niet was gebeurd, zou ik op het hellende vlak zijn beland. Ik zou steeds minder contracten hebben gekregen, hier of daar een showtje hebben gelopen, maar steeds minder. Je moet het vak van mannequin verlaten voordat het jou verlaat. Maar het valt ook niet mee om vrijwillig uit de schijnwerpers en in de anonimiteit te treden.

Anne-Marie Beretta wilde een collectie positiekleding ontwerpen. Ze was de eerste couturier die op dat idee kwam. Een zwangere vrouw kan zich best nog elegant kleden. Die collectie zou mijn laatste worden. Zelf zwanger van mijn dochter Jade, droeg ik een bruidsjurk van goudgele taftzijde, met een paasei op de buik geborduurd. Het publiek kon niet geloven dat ik echt zwanger was, maar Jade is geboren op 6 juli 1986, drie maanden voor mijn huwelijk met Gilles. Een nieuw leven begon, ik was vijfendertig en was volwassen geworden.

Moeder en bedrijfsleidster

Ik wijdde me helemaal aan mijn kind, maar ik hield nog genoeg energie over. Het was geweldig om voor Jade te zorgen, maar het bevredigde me niet.

Voor onze trouwdag, op 3 oktober 1986, was mijn moeder overgekomen uit Bujumbura. Ze was schitterend en voornaam in haar witkanten gewaad, dat ik later heb meegenomen als een talisman en dat ik bij grote gelegenheden nog altijd draag. Mijn getuigen waren mijn vriendin Astride en mijn oude vriend Szymanski, die onder zijn naam een flat voor me huurde toen nog geen enkele eigenaar een zwarte bewoner wilde. In het gemeentehuis van het 16ᵉ arrondissement droeg Mama Fota baby Jade de trappen op en hield haar stil met een flesje. Bij het jawoord en de omhelzing van mijn schoonvader was ik diep ontroerd. We waren maar met vijftien mensen, alleen de intimi. Ik droeg een witte *tailleur* met een korte sluier van Anne-Marie Beretta.

De receptie was dezelfde avond bij Jean Castel. Topor had de uitnodiging geïllustreerd: een gemengd paar, waarvan je alleen maar de onderkant zag, mijn donkere benen en handen tegen een witte jurk en de zwarte kleding van Gilles waartegen zijn blanke hand afstak. Het was een indringend beeld. De genodigden kwamen zowat overal vandaan: uit de modewereld van Parijs, New York en Rome. Er was familie en ook de ambassadeur van Burundi in Frankrijk was gekomen. Het bonte gezelschap paste helemaal bij mij. Mijn veertienjarige dochter Frédérique was beeldschoon en opgetogen. Mijn moeder had haar niet meer gezien sinds ze haar had leren lopen op Alexis' trap in Bujumbura. Ze was meteen stapeldol op haar oudste kleindochter. Ik weet niet hoe die twee elkaar verstaan hebben, maar mijn moeder nodigde Frédérique uit om naar Fota te komen en vroeg of haar vader het goed zou vinden. Het feest ging heel de nacht door. Waardig sloeg Mama Fota het feestgewoel gade, maar ondanks haar terughoudendheid kon ze haar pret maar moeilijk verbergen.

In Burundi mogen een schoonmoeder en een schoonzoon niet tegenover elkaar zitten. Ze mogen niet eens gezamenlijk eten. Mijn moeder en Gilles mochten elkaar graag, maar op afstand. De traditie is zo dwingend dat het voor mijn moeder tijdens de diners bij mijn schoonouders een beproeving was om te moeten eten in bijzijn van mijn man. Het benam haar de eetlust.

Mijn schoonouders hebben mijn moeder fantastisch ontvangen. Er was maar één incident waarvan ik betreur dat ik het niet heb voorkomen. Heel de familie van Gilles was opgetrommeld ter ere van mijn moeder. Mijn schoonmoeder had zich speciaal uitgesloofd om de allerbeste kazen te vinden. Ze wist dat er in Burundi nauwelijks kaas bestaat en ze wilde mijn moeder de hoogstandjes van de Franse gastronomie laten proeven. Ik vertaalde alles, want Mama Fota was bang dat ze van opwinding onvoldoende zou begrijpen. Ze wilde uit principe zelf geen Frans spreken. De sfeer was prima, mijn moeder was verrukt, de familie van Gilles was hartelijk en ik straalde. Toen kwam de kaas op en ik begon, trots als ik was over mijn nieuwverworven kennis, aan mijn moeder uit te leggen welke kazen ze opgediend kreeg. Bij het woord 'geitenkaas' legde ze als de bliksem haar portie terug op de schaal. De koninklijke familie at geen geiten en schapen, noch hun melkproducten. Dat was ik straal vergeten. Het gezicht van mijn moeder betrok, ze keek de aanwezigen hooghartig aan en verklaarde koeltjes: 'Ze willen me vergiftigen.' De stilte die volgde was oorverdovend en het zweet brak me uit. Het was vreselijk. Ik beschreef haar gloedvol hoe mijn schoonmoeder heel Parijs had afgestroopt om de allerbeste Franse producten te vinden. Tegen de tijd dat het dessert werd opgediend, was de bui overgewaaid. Maar ik voelde me beschaamd en schuldig omdat ik de Burundese gebruiken was vergeten. Na die gedenkwaardige lunch zijn mijn moeder en mijn schoonmoeder de beste vriendinnen geworden, hoewel ik nooit heb begrepen hoe ze communiceerden. Mijn moeder bleef nog een hele maand. Ik was heel vanzelfsprekend en met alle hartelijkheid opgenomen in de familie van Gilles, waar ik me helemaal thuis voelde.

Het jaar daarop, in 1987, begon ik de banden met Burundi weer aan te halen. De politieke situatie leek stabiel, Johannes Paulus II maakte zelfs plannen om het land te bezoeken (wat hij drie jaar later inderdaad zou doen). Het werd tijd de bladzijde om te slaan en 'mijn land' – zo dacht ik er weer over – te proberen te vergoeden wat het me in mijn kinderjaren had geschonken. Ik vond dat Burundi behoefte had aan de kracht en de talenten van al zijn kinderen en dat ik in de voetsporen moest treden van mijn vader, mijn oom en mijn neef.

Daarom stichtte ik Burundi Expansion, een firma die ten doel had in heel de wereld, maar vooral in Frankrijk, het imago van Burundi, zijn producten en zijn prille toerisme te promoten. Die doelstelling strookte met mijn talenten: netwerken, mensen overtuigen en met elkaar in contact brengen. Ik maakte verschillende oriëntatiereizen. Mijn moeder stond helemaal achter mijn plannen. Ze was best trots geweest op mijn carrière als mannequin. Ze liet de bladen waar ik in stond aan iedereen zien. Maar toch bleef mannequin een vak dat niet hoog stond aangeschreven en dat vaak over één kam werd geschoren met het beroep van prostituee. Mijn moeder moest me soms zwaar verdedigen. Ze was dus opgetogen dat ik me met Burundi ging bezighouden. Ze dacht dat het een stuk kalmer voor me zou zijn en omdat zij zich ook geweldig inspande om het land vooruit te helpen, vond ze het heerlijk dat ik ook mijn steentje zou gaan bijdragen. Op een dag vroeg de overheid aan de Burundese Vrouwenunie om in elke provincie vrouwen te vragen wat hun vaardigheden waren: het land bebouwen, weven? De bedoeling was om vrouwen te vinden die hun kennis konden overdragen aan anderen. Met groot vertoon van waardigheid meldde mijn moeder: 'Het enige wat ik kan is regeren.' Het was haar manier om haar minachting te laten blijken voor ambtenaren, die volgens haar nog niet tot haar enkels reikten. De bijeen-komsten waren in schoolgebouwen. De vrouwen moesten over-nachten in slaapzalen met stapelbedden. Dat zinde Mama Fota helemaal niet en ze stribbelde tegen: 'Op mijn leeftijd kan ik niet meer in een bovenbed, daar ben ik te stijf voor.' Men bood haar een benedenbed aan, wat haar nog minder zinde: 'Als de persoon boven me een ongelukje heeft, met al dat bier dat er wordt gedron-ken...' En met de ene lepe uitvlucht na de andere kreeg ze het voor elkaar dat de organisatie haar onderbracht in een hotelkamer voor haar alleen. Een onderkomen haar rang waardig, kortom!

Op een dag in 1989 klopte ik met drie affiches van Burundi on-der de arm aan bij de redactie van het vrouwenblad *Elle* om voor te stellen een reportage te wijden aan mijn land en aan zijn cultu-rele en ambachtelijke schatten. Kort daarop vertrok ik samen met journaliste Francine Vormèse en fotograaf Gilles de Chabaneix naar Burundi. We doorkruisten het land in alle richtingen, wat een schitterende reportage van zes pagina's opleverde en een onver-woestbare vriendschap tussen Francine en mij. De avonden in Bu-jumbura hadden we aanvallen van de slappe lach (we hielden se-rieus vol dat ze werden veroorzaakt door de ijle lucht op die hoogte...) toen we de voornamen opsomden die in Burundi heel gewoon zijn. Uitgerekend Europeanen verwonderen zich nog vaak over de ouderwetse en gênante voornamen die de christenen in Afrika achterlieten. We lagen krom bij rijtjes als Fridolin, Rigo-bert, Népomucène, Modeste, Nicéphore, Arthémon of... Rustique! Aan die hilarische avonden heeft Francine de bijnaam 'Zozime' overgehouden, wat de voornaam was van een wijze uit Fota.

Dankzij de reportage in *Elle* kon ik het jaar daarop als Burundi Expansion een grote reis organiseren met de Maxim's Business Club. Dat is een club van zakenlieden, beslissers uit alle economi-sche domeinen, onder voorzitterschap van Pierre Cardin. Ik maakte dankbaar gebruik van mijn relaties uit de modewereld. Ik verzilverde mijn mondaine verleden en mijn naam.

Er gingen een stuk of tien zakenmensen mee, sommigen met hun vrouw. We reden meer dan duizend kilometer over Burundese wegen en sporen. Het was een enorme organisatie: auto's, bezoeken, eten, onderdak en alles moest zo perfect zijn geregeld als die *captains of industry* het gewend waren. Ik had bijvoorbeeld tenten nodig om het gezelschap te laten overnachten op plekken waar geen hotels waren. Tijdens mijn voorbereidingsreis bezocht ik de stafchef van het Burundese leger, die me heel charmant en in Parijse stijl ontving. Hij adviseerde dat ik beter contact kon opnemen met de minister van Geologie en Mijnbouw, Gilbert Midende, omdat diens ministerie veel mooiere wit-blauwe tenten bezat. Dankzij die steun kregen we alles wat ik nodig had. Het leger, dat de tenten opzette, zorgde ook voor elektriciteit, leende ons bedden en stelde manschappen ter beschikking.

We maakten een uitstapje naar de beroemde gorilla's van Bukavu in Zaïre. Gilles ging mee voor de medische zorg, mocht die nodig zijn. We hebben een nacht het tentendorp opgeslagen in het nationale park van Ruvubu om dat natuurbehoud onder de aandacht te brengen. Er werden net opnieuw buffels en luipaarden uitgezet. De inlandse bevolking had grastapijten voor ons gemaakt en ik had gevraagd om een groot vuur voor 's avonds. Maxim's leverde de champagne die we koelden in het water van de rivier. Alles had ik georganiseerd vanuit Parijs met alle details die voor die luxe-Robinsons van belang waren: de Kleenex, de zaklantaarn in elke tent voor het geval de elektriciteit zou uitvallen, een zacht beddenkleedje...

We reisden per minibus. De deelnemers hielden gedurende heel de tocht hetzelfde kamer- of tentnummer. Alle spullen werden dagelijks opgehaald, schoongemaakt en 's avonds weer klaargezet. Aan de bronnen van de Nijl werd een galadiner geserveerd door bedienden met strik die ons champagne schonken terwijl voor onze voeten de kudden graasden! Zakenmensen uit alle sectoren van de economie – toerisme, farmaceutische industrie, mode, textiel – konden daar bedenken wat ze in dit land zouden investeren en hoe ze het Burundese toerisme en de industrie konden promoten.

De Nijlbron die het dichtst bij de evenaar ligt, een hoogst symbolische plek die ik dolgraag tot een toeristische toplocatie had willen maken, ontspringt in het zuiden van Burundi als een dun stroompje verborgen onder een dak van varens. Bij grote droogte valt dat stroompje stil. Dicht ernaast ligt een thermische bron met water van dertig graden Celsius. Heerlijk! Het is er paradijselijk baden. Toen we klein waren, zeiden we vaak dat we de kraan van de Nijl zouden dichtdraaien als de Egyptenaren lastig werden! Er niet van profiteren dat de bron van de Nijl in je eigen land ligt, is een crime. Maar als kind beseften we niet half wat we zeiden. Alles wat buiten het paradijsje lag waarin we zo zorgeloos opgroeiden, bestond eigenlijk niet. Ik ben een van de weinige Burundezen die heel het land hebben gezien. Ik heb de rijkdom van de natuur leren kennen, de enorme varens, de papyrus, de vogels en ik ben doordrongen geraakt van het belang van dat erfgoed.

Burundezen kijken niet rond in hun eigen land, dat niet eens zo groot is. Iedereen blijft op zijn eigen heuvel zitten en de wereld houdt op bij de omheining van de *rugo*. De wereld bestaat uit de mis, de markt, het bestuur en het ziekenhuis. Het is overal prachtig, dus waarom zou je naar de buren gaan? Er bestaat de legende van een prins die de grenzen van Burundi moest afpalen. Vermoeid van de lange wandeling besloot hij op een avond het bijltje erbij neer te gooien en verklaarde: 'Burundi is zo groot als mijn oog reikt!' Als hij minder moe was geweest, hadden wij nu misschien een groter grondgebied gehad!

In 1990 heerste er rust in het land en iedereen had voldoende te eten. Door ons land te promoten in Europa konden we hopelijk economisch van de grond komen. De Burundese autoriteiten waren zeer te spreken over mijn actie. Geen mens wilde iets weten van mijn afkomst, niemand maakte gewag van mijn titel of van mijn vader. Het verleden werd doodgezwegen. Ik was mevrouw Kamatari, een gewone Burundese. Men wist wel beter, maar niemand wilde erover beginnen. Ik deed dingen die goed waren voor het land en ik had de juiste relaties om die dingen tot stand te brengen, punt uit. Mijn allermooiste reis vond dus plaats even voordat in het gebied van de Grote Meren de bom barstte, net voor de verschrikkingen. De magie was bijna uitgewerkt.

Tijdens de Maxim's Business Club-reis werden we ontvangen door de president van de republiek, Pierre Buyoya, en hadden we een diner met Burundese zakenmensen. Toen Pierre Buyoya kort daarop een staatsbezoek bracht aan Parijs, bood Maxim's hem een lunch aan die hem zijn enige ogenblikken van vrijheid bezorgde. Hij kon lopen van hotel Crillon aan de Place de la Concorde naar Maxim's in de Rue Royale, dat was maar enkele tientallen meters.

In Parijs ging ik aan de slag om uit de reis zoveel mogelijk munt te slaan. Twee keer stond ik op de toerismebeurs die de EU financierde voor de ACP-landen (Afrika, het Caribisch gebied en de landen rond de Pacific, de Stille Oceaan). Ik kreeg daar het willig oor van de directeur van Novotel Bujumbura, Didier Vielfort. Hij zag de mogelijkheden van het land en dacht met ons mee. We kregen de minister van Toerisme zover dat hij dossiers gereedmaakte voor de financiering. Alles was mogelijk, maar het moest nog helemaal van de grond worden getild. We wilden profiteren van het uitstekend georganiseerde safaritoerisme in onze buurlanden Kenia en Tanzania en toeristen van daaruit excursies van een paar dagen aanbieden naar Burundi, het Tanganyikameer, de bronnen van de Nijl en naar de chimpansees. Een ander idee was de promotie van Burundese koffie en thee. Op een beurs aan de Porte de Versailles, waar ik in de stand van Burundi stond, vond de Franse minister voor Toerisme Olivier Stirn ook een vastberaden Esther op zijn pad die hem een kopje koffie aanbood.

In het land zelf ging het allemaal niet zo soepel. Als een blanke buitenlander de autoriteiten een marketingplan of een zaak aanbracht, werd hij vlot betaald. Maar mijn rekeningen bleven onbeantwoord. Zolang ik gratis werkte vond iedereen het prachtig, maar zodra er sprake was van een honorarium hoefde het niet meer. Was dat uit rancune tegenover mijn familie of vanwege mijn vader? Ik vrees van wel. Ik had al mijn eigen contacten ingeschakeld. Ik had veelbelovende projecten opgezet. Ik kreeg mooie dankwoorden, blije gezichten en vervolgens gebeurde er niets.

Hetzelfde jaar, 1990, was het me gelukt om Burundi in Parijs te promoten via het R T L -radiospelletje *Les Ambassadeurs*. Een week lang werden er in de uitzending vragen gesteld over het land en de winnaars van de wedstrijd mochten ernaartoe. Ik bereidde de vragen en de antwoorden voor en organiseerde de reis van de winnaars. Ook dat was een manier om aandacht te krijgen voor het land in welks toekomst ik zo heilig geloofde. Bij die gelegenheid ontmoette ik Sylvain Augier, een journalist van France 3, wie ik een reportage-idee influisterde voor zijn programma *Faut pas rêver*. Het ging over de jonge fietskamikazes die enorme bananentrossen vervoeren op hun bagagedragers, op het frame of op het stuur en die bedolven onder hun groene vracht de heuvels afrazen. Omdat ik zwanger was van mijn zoon Arthur kon ik niet met de ploeg mee, maar de reportage gaf een goed beeld van het leven in Burundi.

In 1991 zette de geboorte van Arthur de activiteiten van Burundi Expansion op een laag pitje. Tijdens mijn zwangerschap was ik door de Burundese regering uitgenodigd in Bujumbura voor een groot congres over de nationale eenheid die men zag wankelen en die op alle mogelijke manieren bewaard moest worden. Ik vond het toerisme een heel belangrijke factor. Een land dat zijn inkomsten voor een groot deel uit het toerisme haalt, zal zuinig zijn op de dingen die vakantiegangers trekken: vrede en de natuur. De vele uitnodigingen die ik kreeg voor dergelijke congressen bewezen dat nog niet alle contact verbroken was, al bevond ik me in de diaspora. Al waren de Burundese autoriteiten niet dol op me, ze moesten wel rekening met me houden, want ik kon het land veel brengen.

Het weeskind Esther

Het jaar 1991 blijf ik me ook herinneren als het jaar waarin mijn moeder stierf. Ik had haar twee dagen ervoor aan de telefoon gehad. Ze was in Fota en er was nog niets aan de hand. Mijn broer Godefroid belde me om het te vertellen: 'Mama Fota is niet meer.' De wereld stond stil. Na de schok kwamen de verwarring en de wroeging: ik had haar vaker moeten opzoeken, ik had mijn visites niet telkens moeten uitstellen. Sinds mijn vertrek uit Burundi had ik haar nog zo weinig gezien en ik had haar nog zoveel te vertellen. Zij had mij vast ook nog duizend dingen willen zeggen. Ik had niet genoeg van haar ervaring geprofiteerd. Het wrede gemis was verpletterend.

Het jaar na mijn huwelijk was ze nog in Parijs geweest om haar ogen te laten behandelen. Ik weet nog dat mijn zus Fabiola, die bij haar woonde, vertelde hoe onhandig ze werd en dat ze de thee naast het kopje schonk. Ze onderging een heel pijnlijke laserbehandeling. Nog één keer was ze weer helemaal prinses Agrippine die stoïcijns de pijn onderging, vanwege het vooruitzicht om misschien blind en afhankelijk te worden, om stukje bij beetje haar rol van koningin van de bijenkorf te moeten inleveren. Gilles en ik woonden in de Rue des Vignes en traditiegetrouw wilde mijn moeder niet onder één dak slapen met haar schoonzoon. We huurden dus een paar maanden een flatje voor haar in hetzelfde gebouw. De artsen hadden een ernstige hartaandoening vastgesteld die ons veel zorgen baarde, maar ze vertrok zonder om te kijken, als een vorstelijke gestalte in de luchthaven van Parijs.

Toen ze was overleden kon ik niet meteen vertrekken doordat mijn paspoort was verlopen. Ik moest eerst naar de politie en dan een vlucht zien te boeken. Ik had de familie gevraagd om te wachten met de begrafenis. Mijn moeder was gestorven aan een hartaanval en mijn broers en zusters hadden haar naar Bujumbura gebracht. Na veel onderhandelen kreeg ze in afwachting van mijn komst een plekje in het mortuarium. Maar omdat er geen koeling was, moest mama snel worden begraven. Het lukte me ten slotte om binnen achtenveertig uur voor mijzelf en voor Gilles een visum en een paspoort te bemachtigen.

De autoriteiten gaven geen toestemming om mijn moeder te begraven naast mijn vader, wiens tombe staatsbezit is. De monarchie behoort voortaan tot de Burundese geschiedenis. Ik had mama liever in Fota begraven, maar ze kon niet meer vervoerd worden. Nu rust ze op een begraafplaats in de buitenwijken van Bujumbura, in een gevaarlijke wijk die geregeerd wordt door gewapende bendes en die daarom ontoegankelijk voor ons is. Tijdens mijn laatste verblijf in Burundi heb ik iemand gestuurd om te gaan kijken of het graf goed was onderhouden, of het niet was geschonden en of het kruis er nog stond. Alles was in orde. De volgende keer zal ik het nodige doen om zelf te kunnen gaan. Ik zal om toestemming en een escorte vragen. Dat alles om het graf van mijn eigen moeder te mogen bezoeken en er bloemen te kunnen leggen. Het is een hard gelag! Tegenwoordig zijn er zelfs aparte begraafplaatsen voor Hutu en Tutsi, de scheiding is doorgevoerd tot in het hiernamaals. De dood werd in tweeën gehakt.

Op de dag van de uitvaart waren we er allemaal. Mama Fota kreeg de begrafenis die bij haar rang paste. Er waren geen trommels; die zijn voorbehouden aan prinsen van den bloede. Maar het was de laatste koninklijke rouw van het land. Als haar gezin namen we tien dagen rouw aan, een heel belangrijke periode waarvan de duur en de aard worden bepaald door de sociale status van de overledene. Rouw voor een prins is een staatsaangelegenheid.

De rouwceremonie begint op de dag van het overlijden. De familie wordt omringd door vrienden en kennissen die alle onenigheid even opschorten. Tot aan de begrafenis doet de familie niets: er wordt niet gekookt en wordt niet gepoetst. De dode wordt ook niet beweend. Buren, vrienden en passanten verhinderen dat met hun aanwezigheid. Ze halen mooie herinneringen op aan de overledene en ze maken de nabestaanden aan het lachen om ze te helpen de moeilijke dagen door te komen. Iedereen brengt iets te eten of te drinken mee en gezien de massa mensen die hun medeleven komen betuigen, zijn er dan enorme hoeveelheden voedsel en drank. De mensen brengen manden en dozen mee met sorghumbier, met wijn en met levensmiddelen, die in ontvangst worden genomen door de familie en de vrienden.

In een grote tent in de tuin van mijn broer Alexis begroetten we honderden mensen. Vrienden hadden ons stoelen geleend zodat iedereen kon zitten. Het krioelde van de mensen. Wij, de kinderen van de overledene, bleven zitten als nieuwe bezoekers ons condoleerden. Geen stoel bleef onbezet, om ons heen wisselden de mensen elkaar af. Af en toe viel er een stilte. Het was een soort wake waarbij verhalen werden verteld. Het waren geen legendes, ze gingen over het leven van mijn moeder, over de hoogtepunten en over wat ze allemaal tot stand had gebracht. Van 's ochtends tot 's avonds ging het vertellen ononderbroken door om ons geen tijd te laten om te huilen. Tien dagen lang had ieder van ons iemand naast zich die zich speciaal over ons ontfermde.

Tijdens de rouwperiode wordt er niet gebeden, de dagen worden bezield door vriendschap en religie komt er niet aan te pas. De vrienden nemen de organisatie van de begrafenis op zich; een groep vrijwilligers regelt alles, van de kist tot het kruis en de bloemen. Dat geeft familieleden die ver weg wonen de nodige tijd om te kunnen komen. Op mijn verzoek waren mijn zussen en ik in zwarte kleding gehuld, wat normaal niet werd gedaan, want in Burundi heeft men geen speciale rouwkleur. Als er vroeger een koningin of een koning stierf, schoren mannen en vrouwen hun hoofd kaal. Of men bedekte toch ten minste haar of zijn haren. Met de onafhankelijkheid kwam er een einde aan die traditie. Bij de dood van Rwagasore schoor iedereen zich nog kaal, bij het overlijden van mijn vader deden al minder mensen dat. Toen mijn moeder stierf was de gewoonte helemaal in onbruik geraakt.

De begrafenis werd bijgewoond door een enorme menigte: mensen die mijn ouders hadden gekend, mensen uit Fota, uit Bujumbura, iedereen die de familie kende van horen zeggen; met vrachtwagens vol kwamen ze aangereden. Daarentegen was er geen enkel blijk van medeleven van officiële zijde, afgezien van een paar ministers die privé waren gekomen. Mijn moeder had als echtgenote van de prins een grote rol gespeeld in de politiek, in het verenigings- en het vakbondsleven. Ze had enorm veel betekend voor de Burundese vrouwen. Veel islamitische Arabische vrouwen uit de volkswijken van Bujumbura kwamen naar de uitvaartmis. De kathedraal van Bujumbura was zo vol dat veel mensen buiten moesten staan.

Toen we mijn moeder naar haar laatste rustplaats brachten, zwol de menigte nog verder aan. Alle inwoners van de stad kwamen lopend of met de auto naar de begraafplaats. Daar begon een lange gebedsdienst voor het volk, voorgegaan door een bisschop en enkele priesters. De vrouwen hieven een gebed aan en alle aanwezigen vielen in. Tegen het einde van de begrafenisplechtigheid werd het al donker. De avond valt rond zes uur in Bujumbura. We wilden niet weggaan voordat de grafsteen was geplaatst en vastgemetseld, zodat niemand het graf kon ontwijden. De vrienden lichtten de grafdelvers bij met de koplampen van hun auto's. Voor we vertrokken gooiden we elk een handvol aarde op de tombe. We hadden een halve dag op de begraafplaats doorgebracht. Als afsluiting volgde de reiniging van de handen, elk spoortje van zand wordt met water weggewassen, ten teken dat alles volbracht is: 'De dode is vertrokken, je hebt je van hem losgemaakt.'

Vervolgens wilde het ritueel nog dat de wijzen de aanwezigen toespraken. Een van hen was door de kinderen aangewezen om de familie te vertegenwoordigen. In 1990 speelden de wijzen nog een rol. De wijze die sprak uit onze naam was onze neef Léopold Biha, een voormalige eerste minister onder *mwami* Mwambutsa iv. Hij noemde elk van ons bij onze voornaam. Dat was een manier om ons voor te stellen en om onze legitimiteit te benadrukken zodat niemand onze titels kon misbruiken: wij en wij alleen zijn de kinderen van de prins. Dan nog een dronk, een stilte. Iedereen verzonk in zijn eigen gedachten. Het deed pijn dat het voorbij is.

We gingen naar huis waar heel onze entourage op ons wachtte met het diner. Ze gaven ons geen moment om te huilen. Na het eten gingen we naar bed. Dat scenario herhaalde zich tien dagen achtereen. De vrienden gaan ervan uit dat nabestaanden na tien dagen het normale leven weer aankunnen. De tiende dag bedankt de familie van de overledene alle vrienden. Het huis wordt schoongemaakt en de afval wordt weggegooid. Ik bracht die tien dagen door in volmaakte harmonie met mijn broers en zussen.

Tijdens een ceremonie waarbij de rouw gedeeltelijk wordt opgeheven, maakt de wijze de definitieve duur van de rouwperiode bekend. Die varieert van een tot drie jaar, naar gelang de bezittingen van de overledene. Gedurende die tijd mag er niets gebeuren met het land. Want het land wordt bewerkt door boeren die er ook wonen. Welk moreel recht hebben erfgenamen om de mensen te verdrijven aan wie hun ouders de gronden hadden toevertrouwd? Dergelijke kwesties worden eerst in alle kalmte gewikt en gewogen. Wat een verschil met sommige Europese families, die soms nog voordat iemand dood is al bij de notaris zitten!

De rouw voor mijn moeder duurde drie jaar. Toen was het onze beurt om de familie en de vrienden, sommige helemaal uit Bujumbura, in Fota uit te nodigen. Tijdens de ceremonie die de rouwperiode afsluit, wordt er beslist wat en hoe er wordt verdeeld. De erfgenamen worden weer voorgesteld aan de bevolking van de *chefferie*, een voor een staan ze op en noemen ze hun naam. Dan wordt er publiekelijk gevraagd of iemand van de aanwezigen nog iets te zeggen heeft. Dan moet hij dat hier en nu doen. Als mijn moeder bijvoorbeeld een geschil had met iemand, moesten wij dat weten om de zaak uit de wereld te helpen. Iedereen dacht diep na, want het is niet niks om in het bijzijn van zoveel mensen te moeten praten. Maar het is de laatste kans: wie bij die gelegenheid niets zegt, kan later bij geen enkele rechtbank meer een klacht indienen.

Vanaf dat moment konden de bezittingen worden verdeeld. Na drie jaar waren de boeren gerustgesteld, de druk was van de ketel. Er werd bepaald dat we de stukken grond niet zouden opeisen en de boeren niet zouden uitwijzen. We regelden de dingen zodanig dat iedereen op zijn geboortegrond kon blijven. Deze mensen hadden de gronden gekregen van onze ouders. In ruil daarvoor bewerkten ze onze akkers als we mankracht nodig hadden. Die sociale band is belangrijker dan het verkavelen van de gronden. Tegenwoordig wordt Fota beheerd door mijn jongere zus Fabiola, want de rest van de familie woont overal verspreid.

Fota: het vuur brandende houden

Fabiola is altijd bij mijn moeder gebleven en die heeft haar alles geleerd. Fabiola waakt nu over Fota en dat doet ze prima. Ze is soms erg gespannen, want ze draagt de verantwoordelijkheid, terwijl wij ver weg zitten en geen idee hebben van de dagelijkse problemen. Honderddertig hectare is voor Burundese begrippen een enorm bezit. De heffingen, de kuddes, het zaaizaad, de kunstmest, de koemest, het weer... Planten we bonen of aardappelen? Zit er geen bijennest in de schoorsteen? Is er geen illegale houtkap? Fabiola heeft de dagelijkse leiding over het domein. Maar net als Mama Fota is ze geen harde zakenvrouw, ze geeft het zaaizaad weg, ze deelt uit wat ze zelf heeft. Ze is *muganwa*, wat wil zeggen 'zij op wie men beroep doet' om een oplossing te vinden, als men verdriet heeft of als er een probleem is. De koninklijke familie is *muganwa* en Fabiola zet die traditie voort. Een paar jaar geleden wilde ze op de heuvel in Fota een winkel openen waarin ze goedkope landbouwproducten zou gaan verkopen. We maakten een reclamespotje voor haar waarin alleen maar gezegd werd: 'Fabi, de laagste prijzen'. Alle kinderen en volwassen van de familie zeiden om de beurt dat zinnetje. De slogan is gebleven, maar de winkel heeft de dramatische gebeurtenissen niet overleefd.

Fabiola is niet getrouwd. Vrijgezellen zijn zeldzaam in Burundi en ze worden een beetje vreemd gevonden. Wij, de oudere kinderen, worden erop aangekeken. Wij hadden haar moeten uithuwelijken, maar niemand van ons hangt die traditie aan en sommigen van ons wonen niet in Burundi. Fabiola woont alleen, maar ze neemt kansarme meisjes in huis die ze opvoedt en naar school laat gaan. Ze zorgt voor hen tot ze naar de middelbare school gaan.

Baudouine woont in Nairobi. Zij heeft de fakkel van onze moeder overgenomen door zich bij Unicef in te zetten voor de vrouwen van Somalië. Af en toe komt ze op vakantie in Fota. Godefroid woont ook in Nairobi en is dankzij zijn talent als onderhandelaar een geslaagd zakenman. Hij is 'maar' 2,07 meter lang en we noemen hem '07'. Hij heeft het temperament, het gevoel voor humor en het nobele voorkomen van onze vader. Hij is een geboren optimist en bij hem vindt iedereen een warm onthaal en een troostend woord. Maar ook Louis stond altijd klaar als ik hem nodig had voor mijn humanitaire acties.

Baudouine, Fabiola, Godefroid en ik hebben grootse plannen met het ouderlijk huis. Het moet tegelijkertijd een modelboerderij, een *bed & breakfast* en een academie voor kunsten en volksgebruiken worden. Dat is behoorlijk hoog gegrepen. Fabiola is blij met onze plannen voor het ouderlijk domein en over onze verzoening met de bevolking. Die is blij dat de prinselijke familie eensgezind ijvert voor de grond en zulke belangrijke projecten heeft voor Fota.

De weg die mijn vader in 1940 aanlegde, moet worden hersteld – die prachtige laan is een passage voor de koeien geworden en zit vol kuilen – en opnieuw worden bestraat met de rode steen uit de nabijgelegen steengroeve. De omgehakte bomen moeten worden vervangen en helemaal bovenaan, net voor het huis, moet een mooi hek komen te staan. Onze oudste broer Pascal had, net voordat hij stierf, vlak voor het huis een watertoren laten neerzetten. Dat bespaarde de vrouwen de moeite om water uit de rivier te halen. Uit dankbaarheid voor zijn gebaar dat het leven in Fota zo ingrijpend veranderde, ligt het graf van Pascal nog altijd vol bloemen. We hebben plannen om, met uitzondering van de watertoren, het domein van Fota te omheinen in het verlengde van het intussen vervallen gerechtsgebouwtje dat mijn vader nog liet bouwen. De stenen daarvan kunnen we gebruiken voor een bescheiden monument bij het graf van Pascal. De landerijen lopen dan door tot de vallei aan de andere kant. Het huis willen we absoluut houden zoals het is. Wel moet het opgeknapt en vernieuwd worden en ook het land schreeuwt om onderhoud. Ik droom ervan om onder het afdak van het huis de vetiverwortels uit mijn jeugd te planten, en wilde wingerd en lavendel. We zouden de muur tussen de salon en de eetkamer kunnen wegbreken, een terras aanleggen en het vee een beetje verderop zetten, zonder het karakter van de oude herenboerderij aan te tasten. Het is misschien ook mogelijk een bijgebouw neer te zetten om meer mensen te kunnen herbergen.

Ons gastenverblijf moet de geest uitstralen van de Burundese cultuur, geschiedenis en tradities, die we willen bewaren als elementen van eenheid van het volk. Het huis zal worden ingericht met traditionele meubels en stoffen en met lokale kunstvoorwerpen. We gaan de oude versieringen en spullen inzamelen die de mensen wegdoen. Het is onze bescheiden bijdrage aan de instandhouding van ambachten en volksgebruiken. Het huis is een historische plek. Wij bezitten stille getuigen van het verleden, die je nauwelijks meer vindt. Die moeten in ere worden hersteld opdat de bezoekers ervan kunnen genieten. De kamers zullen aan de hand van thema's worden ingericht, als kamer van de prins of van de prinses. Dat is een eerbetoon aan onze ouders. Het schijnt dat we weer elektriciteit krijgen. Als kind had ik een hekel aan elektriciteit, die ons beroofde van het gepruttel en geknetter van stormlampen en kaarsen en ons omgaf met een beklemmende stilte.

Onze toekomstige gasten zijn inwoners van Bujumbura die van natuur houden en die even iets anders willen in een comfortabel onderkomen dat herinnert aan ons verleden, aan kunst en aan traditie. Het klimaat is ideaal. Er zijn geen muggen, want we zitten op een hoogte waar de nachten koel zijn. Het geld dat we verdienen met die hotelactiviteit, gaat naar de landbouwexploitatie, naar de aanplant van gewassen die in deze goede grond en in dit milde klimaat twee of drie oogsten per jaar opleveren, en naar proefaanplanten zoals bloemen. Deze vruchtbare aarde waarop alles gedijt, is des te kostbaarder omdat Burundi in de afgelopen decennia een geweldige bevolkingsgroei heeft gekend. De uitgestrekte citroen- en sinaasappelboomgaarden uit mijn kindertijd moeten opnieuw worden aangelegd om de bevolking van vitaminen te voorzien en ook omdat citrusvruchten uitstekende exportproducten zijn. Mensen uit de buurt kunnen onze aardappels en onze sperziebonen kopen.

In 1943 had Fota onder leiding van mijn vader bijgedragen tot de Belgische oorlogsinspanning door enorme hoeveelheden groenten te leveren. Onze vader had de boeren verplicht om te planten, tot in de moerassen, waar alles nog sneller groeit dan op de heuvels. Hij moet echt al zijn gezag gebruikt hebben, want niemand wilde de moerassen bewerken vanwege de geesten die er ronddolen. Onze streek was toen de grootste voedselleverancier van Burundi. Voor die oorlogsinspanning kreeg mijn vader van de Belgen het Burgerlijk Kruis van Léopold II. Het was niet de eerste keer dat hij vanwege het algemene belang een voorouderlijk geloof negeerde. Een tijdje daarvoor was er grote hongersnood geweest in de streek van de Grote Meren en papa Kamatari had toen ook al in de moerassen laten planten om de bevolking aan eten te helpen. Een prins moet initiatieven nemen en het voorbeeld geven. Kamatari had daardoor niet alleen de Belgen bonen en andere groenten kunnen leveren, maar ook de Burundezen zelf en de buren in Congo. Toen ik klein was groeiden er wortelen en kolen in de moerassen. Ook dat willen we op het familiedomein in ere herstellen met een ontwikkelingsproject voor Fota en alle omliggende heuvels. Zo kunnen we ook de school en het gezondheidscentrum helpen. We zouden aan Fota kunnen teruggeven wat het ons heeft gebracht. Al het geld dat we verdienen, wordt geherinvesteerd. Wijzelf hebben geen enkel persoonlijk voordeel bij het avontuur. De namen van prins Kamatari en prinses Agrippine zullen voortleven. Geheel in hun geest zal Fota een landbouwkundig laboratorium worden, dat nieuwe planten test, dat de boeren van zaaizaad voorziet dat producten van de allerbeste kwaliteit levert. We willen van Fota een proefproject maken van geluk en rechtvaardigheid.

De waarheid over de kampen

Ik heb al verteld dat de tragedie van 1972 me niet echt had aange-
grepen. Uit het oog, uit het hart, dat was wat ik toen wilde. De onlusten die in 1988 weer oplaaiden, waren snel onder controle en
het geweld had zich gelukkig niet over heel het land verspreid.
Maar toen in 1993 de nieuwe president Ndadaye werd vermoord
en Burundi werd geteisterd door massamoorden, vluchtelingenstromen en volksverhuizingen, had ik de banden met het vaderland weer aangehaald. Ik onderging de verschrikkingen even heftig als mijn landgenoten ter plaatse. De voortekenen van het
drama, de moorden en de verdwijningen waren in Parijs moeilijk
te beoordelen geweest. Ik voelde wel dat mijn broers en zusters
ongerust waren. In juni van dat jaar, aan het einde van een rond-
reis door Burundi, zou ik Bujumbura verlaten de dag voor het begin van de officiële presidentscampagne. Ik dineerde in een restaurant aan de oevers van het meer en de bediening verliep zo
traag dat de baas zich verplicht voelde om zijn verontschuldigen
aan te bieden. Hij legde uit dat zijn *chef de rang* ontslag had genomen om zich voor te bereiden op zijn nieuwe baan... als ambassadeur. We stonden perplex. Er hing duidelijk iets in de lucht.

De partij van Ndadaye, die uiteindelijk de verkiezingen won, was duidelijk veel feller en actiever dan die van zijn voorganger Pierre Buyoya. Je voelde de spanning toenemen en de meningsverschillen polariseren. De verkiezing was 'geëtniseerd' en de verschillen tussen Hutu en Tutsi werden breed uitgemeten. In de heuvels gingen de onheilsverhalen rond. Mensen van beide groepen zochten een veilig heenkomen. De slachtingen die volgden, waren ongetwijfeld gepland. Dat is de enig aannemelijke hypothese. Vlak voor de moordpartijen werden er mensen gesignaleerd die jerrycans met benzine rondsjouwden. In de heuvels heeft niemand zoveel benzine nodig. Maar als je het huis van je buren in brand wilt steken... De nieuwe president van de republiek bleef maar vier maanden aan de macht. Zodra hij was vermoord, in de nacht van twintig op eenentwintig oktober 1993, werden alle wegen afgezet en werd overal brand gesticht. In de weken die daarop volgden, kreeg de uitdrukking 'te vuur en te zwaard' in Burundi haar volle betekenis.

De eerste inzamelingsactie

Door de oorlog verloor Burundi Expansion zijn bestaanrecht. Het woord 'toerisme' was een term van een andere planeet. De woorden die bij Burundi hoorden waren 'overlevenden', 'overlevers' en 'uittocht'. Wat moest ik doen? Wat kon ik doen? Om te beginnen anders gaan denken en de beperkingen van mijn invloed aanvaarden. Vandaar dat ik heb opgepakt wat ik een paar jaar tevoren was begonnen door met Jean Castel een groot mediaspektakel en een tombola te organiseren voor de Restos du coeur*. Jean Castel, een

---

* Restaurants en voedselbanken voor minvermogenden. Een initiatief van de intussen overleden cabaretier en acteur Michel Coluche.

hartelijke man die zich het leed van anderen aantrok, had het idee opgevat om een benefietavond te organiseren voor de stichting van Coluche. Ik had aangeboden om haute-couturekleding en -sieraden in te zamelen die we met veel winst konden verkopen. Castel had me een kantoor ter beschikking gesteld, waar zich elke dag meer spullen ophoopten voor de tombola. Ik werkte me een ongeluk. Alles moest perfect zijn, de avond moest vlekkeloos verlopen. Met hulp van Jan-Pol Plouvier, een bevriende choreograaf, had ik meer spullen opgehaald dan we konden gebruiken, jurken, sieraden, sjaals, hifi- en videoapparatuur. Cartier had een paar horloges geschonken, een grote antiquair uit de faubourg Saint-Honoré gaf een prachtig tapijt. De modewereld is, in tegenstelling tot wat men gelooft of wil geloven, niet zo oppervlakkig en modemensen kunnen heel gul zijn.

Er werd een galadiner gehouden in het prachtige Latijns-Amerikaanse Huis aan de Boulevard Saint-Germain. Het werd een heel Parijse avond, die met meesterhand werd geleid door Jean Castel. De entree kostte een Louis d'Or, een antieke gouden munt die de gasten aan de ingang konden kopen bij een bank die speciaal voor die avond was geopend. De tombolabiljetten vlogen weg ondanks hun pittige prijs en de veilingstukken kregen zoals ik had voorzien veel bieders. We waren als kinderen zo blij toen we met onze vaas vol Louis d'Ors naar de Restos du coeur togen. Mijn medewerking aan deze inzamelingsactie was een eerste ervaring die later heel nuttig zou zijn.

De Burundezen in Frankrijk

Sedert 1988 bestond er in Frankrijk een Burundese vereniging, die was opgericht door Burundese studenten. De vereniging had als doel Burundese nieuwkomers in Frankrijk te helpen met informatie en adressen, ze in contact te brengen met landgenoten, bijeenkomsten te organiseren, kortom ze praktisch en moreel te steunen in hun nieuwe leven. De eerste voorzitter was Bonaventure Mageza, die toen nog aan de Sorbonne studeerde en die intussen is overleden. Vanzelfsprekend was ik een actief lid. In 1990 werd ik voorzitter en al snel vonden we die praktisch-vriendschappelijke hulpverlening te beperkt en wilden we onze activiteiten uitbreiden naar de ondersteuning van ons vaderland. We begonnen met het inzamelen van speelgoed voor een weeshuis in Bujumbura en Gilles gaf ons een partij injectienaalden, waaraan in Burundi een schrijnend tekort was.

Onze echte humanitaire acties zijn pas van start gegaan in 1993, na de slachtingen die volgden op de moord op de eerste democratisch gekozen Hutu-president Ndadaye. Ik wilde het devies van Rwagasaro in praktijk brengen dat te zijner ere staat gebeiteld op alle monumenten in alle regionale hoofdsteden van het land: 'We zijn allemaal gelijk'. Alle Burundezen hadden behoefte aan hulp en wij, de Burundezen in Frankrijk, zouden ze allemaal helpen zonder rekening te houden met het zogenaamde etnische onderscheid. Toen barstte in Burundi de bom. Het geweld barstte los, het was de hel op aarde. Er zijn geen woorden om dat te beschrijven.

De haat als erfenis

De Belgen, die van 1919 tot 1962 het land bestuurden, hadden de verschillen tussen de 'etnische' groepen verscherpt door Hutu uit te sluiten van het onderwijs en het ambtenarenapparaat, ten gunste van de Tutsi-minderheid, die als een superieur ras werd voorgesteld. Die paar decennia van westerse overheersing hebben vreselijk bittere vruchten afgeworpen. Het systeem dat de koloniale machthebber had ingesteld bleef na zijn vertrek intact: de Tutsi-minderheid hield alle macht en deelde die hooguit met enkele ontwikkelde Hutu. In die omstandigheden rijpte het zaad van de haat. Tussen de onafhankelijkheid, zonder Rwagasore, en de dramatische uitbarsting van 1993, verliep geen decennium zonder bloedige incidenten: in 1965, 1972 en in 1988 stierven Burundezen aan het dodelijke gif dat 'etniciteit' heet, een vergif dat werd bereid door de Belgen en dat een bepaalde Burundese 'elite' uitstekend van pas kwam.

In 1993 leidde de politieke, sociale en economische crisis tot een ravage. De doden waren niet meer te tellen, ook al omdat de cijfers waarmee de strijdende partijen naar buiten kwamen enorm verschilden. Achteraf is vastgesteld dat deze burgeroorlog, want dat was het, tussen 1993 en 2000 meer dan driehonderdduizend doden heeft gekost. Het leger, waarvan de leiding hoofdzakelijk Tutsi was, en de gewapende Hutu-bendes gingen zelden rechtstreeks met elkaar in gevecht. Liever keerden ze zich met wraakacties tegen de burgers en terroriseerden en chanteerden de mensen die tussen twee vuren zaten. De slachtoffers waren vooral ongewapende boeren en dorpelingen. De burgerbevolking zat in de val en werd gegijzeld in een onvoorstelbaar etnisch conflict tussen de meest extremistische groepen van leger en opstandelingen. In golven van honderdduizenden tegelijk ontvluchtten de mensen de gewelddadigheden. Velen ontvluchtten zelfs het land en trokken wanhopig de grens over naar Rwanda, Zaïre of Tanzania. In 1996-1997 kreeg Tanzania zelf te maken met onlusten en de Burundese vluchtelingen moesten terug. Ze kwamen terecht in overbevolkte kampen waar ze machteloos moesten aanzien hoe een waanzinnig geweld dood en verderf zaaide. Het geweld bereikte de verste uithoeken van het land, zelfs regio's waar het voordien kalm was gebleven en waaraan de gebeurtenissen van 1972 waren voorbijgegaan.

De geofferde bevolking

Algauw waren er drie soorten geweldslachtoffers te onderscheiden. Ten eerste de 'hervestigden'. Vanaf 1996 dreef het leger de burgers met geweld bijeen in kampen, om de Hutu-guerrilla te beroven van zijn achterste linies en om zogenaamd de bevolking zelf te beschermen. De mensen kwamen daardoor in een onmogelijke situatie. Als je weigerde naar de kampen te gaan werd je beschouwd als sympathisant van de guerrilla en was je de prooi van de soldaten. Maar wie wel ging, kon door de guerrillastrijders als verrader worden afgestraft. De mensen moesten op staande voet vertrekken. Ze mochten alleen meenemen wat ze konden dragen. De soldaten staken alles in brand wat de rebellen als schuilplaats konden gebruiken. Er waren mensen die weigerden te vertrekken. Sommigen wilden hun bezit beschermen en hun land blijven bewerken, anderen waren te zwak om te lopen. Er vielen ontelbare burgerslachtoffers, vooral vrouwen, kinderen en bejaarden. De methode van hervestiging was weldoordacht en was gebaseerd op goede argumenten als veiligheid, 'zuivering' en bescherming, maar vertoonde ten minste één ernstig tekort, namelijk het totale gebrek aan communicatie. Er was geen tijd voor uitleg, alles leek onder dwang te gebeuren. De internationale gemeenschap en de Burundezen zelf reageerden fel op die volksverhuizingen. Sommigen trokken zelfs de vergelijking met nazi-praktijken. Om de kampen in en uit te komen was een identiteitsbewijs nodig. Die hervestigingen veroorzaakten onnoemelijk veel menselijk leed en in de kampen heerste vreselijke ellende. De tactiek om terroristen af te snijden van hun thuisbases, de bevolking bijeen te drijven om de achterste linies te bewaken en doorvoer van wapens te voorkomen, was door de Fransen al toegepast in Algerije en had daar al haar ondeugdelijkheid bewezen.

De tweede belangrijke groep slachtoffers, die in 1999 op driehonderdduizend mensen werd geschat, waren de ontheemden.

Het waren voornamelijk Hutu die zich schuilhielden in de heuvels, de moerassen en de bossen. Ze waren ontworteld en het was een raadsel hoe ze erin slaagden te overleven. Ze durfden zich niet te vertonen uit angst om bij represailles te worden vermoord. Ze speelden een luguber verstoppertje met de strijdende partijen en ze plunderden verlaten *rugo*, omdat ze niet eens beschikten over de minimale bestaansmiddelen die de mensen in de kampen kregen. Volkomen onbeschermd, bijna onbereikbaar voor humanitaire hulp, omdat ze zo moeilijk waren te lokaliseren, stierven ze soms van uitputting, op een steenworp afstand van de hulpcentra.

De derde groep slachtoffers bestond grotendeels uit Tutsi. Bij het begin van de massamoorden waren ze gevlucht voor de rebellen en hadden ze een veilig heenkomen gezocht in ministeries of in legerkampen. Die overlevenden, die gezien hadden hoe hun familieleden waren afgeslacht met de machete, hadden weinig zin om terug te keren naar hun heuvels, waar ze represailles konden verwachten. Alle wegen waren trouwens afgesloten. Ze waren doodsbang voor bepaalde 'notabelen', die van meet aan tegen elkaar hadden opgeboden met hun gruweldaden. In hun ijver gingen notabelen zover dat ze hun eigen familieleden opofferden als die toevallig Tutsi waren.

Bij welke groep slachtoffers de mensen ook hoorden, ze waren allemaal ontheemd. Ze trachtten te overleven in het aangezicht van de dood en ze hadden geen enkel toekomstperspectief. De volksverhuizingen gingen maar door en waren onoverzichtelijk. Bepaalde groepen vestigden zich ergens. Andere zwierven opgejaagd door de gebeurtenissen onophoudelijk rond. In 1997 woonden achthonderdduizend mensen in kampen (op een bevolking van zes miljoen inwoners betekent dat ongeveer een op de acht mensen), waarvan de meeste in de streek rond Bujumbura lagen. In september 1999 vond er in de provincie Bujumbura nog een grote hervestiging van de plattelandsbevolking plaats. Die mensen kwamen terecht in vijftig tijdelijke kampen, waar helemaal niets geregeld was, geen water, geen voedsel, geen tenten.

De onderhandelingen tussen de strijdende partijen verliepen stroef en werden bemoeilijkt door het grote aantal opstandige groeperingen. Gemaakte akkoorden hielden maar even stand. Het land bloedde langzaam maar zeker dood en het verloor zijn krachten, zijn inkomsten en zijn bevolking. De eerste slachtoffers, de kinderen en de vrouwen, beleefden een permanente nachtmerrie en hadden in die oceaan van leed hooguit de ijle hoop om die diepe armoede te overleven. De rechtbanken waren overbelast en lang niet altijd rechtvaardig. De gevangenissen puilden uit, de vonnissen kwamen hapsnap tot stand.

De gruwel van de kampen

In de kampen was een schrijnend gebrek aan eten, water en tenten. Er was geen sanitair en geen personeel dat geneeskundige hulp kon geven. Malaria, cholera, tyfus, schurft, dysenterie en meningitis hoorden dan ook onverbrekelijk bij dit bestaan dat de naam leven nauwelijks verdiende. Tienduizenden kinderen bleven verstoken van scholing en een enorm aantal onder hen had beide ouders verloren, heel vaak aan aids. In kampen van verschillende grootte zaten in totaal tussen vijftien- tot twintigduizend mensen. Ze leefden er dicht op elkaar, leden ontberingen en waren wanhopig en moedeloos. De dappersten probeerden overdag, soms onder militair toezicht, maar meestal het leger én de opstandelingen trotserend, het kamp te verlaten om hun landerijen te bewerken als die in de omgeving lagen van het kamp. Om die boeren te stimuleren om hun normale leven op te pakken, moesten ze werktuigen en zaden krijgen. Maar de meeste boeren waren te bang om te gaan zaaien en poten. Zelfs de kampen werden af en toe aangevallen. Niemand begreep waarom. Men kon slechts de extra slachtoffers tellen.

De 'onderkomens' van die stakkers waren niet meer dan een vlechtwerk van boomtakken met wapperende dekzeilen. Die rijen blauwe zeilen op palen van eucalyptushout en soms opgehoogd met wat stro, spottend 'panserwagens' genoemd, leverden de beelden die we nog kenden van de crisis in Rwanda, die meer mediaaandacht kreeg dan de burgeroorlog in Burundi. Kampen die werden gerund door het Hoge Commissariaat voor Vluchtelingen hadden loodsen met voedselvoorraden. Maar in de meeste kampen was het armoe troef en er viel niets op te slaan! De levensmiddelen die er binnenkwamen, werden direct opgegeten.

Er heerste angst. De dood was alom. Mensen stierven zonder dat iemand het merkte. In zo'n omgeving kun je alleen maar proberen de dag door te komen: elke dag die je overleeft is meegenomen. De mensen hadden niets om handen, ze konden alleen maar rondlummelen en verleerden het werken. Je kwam in de kampen maar weinig mannen tegen. Die waren vaak geronseld door de guerrillabendes. De rest was dood of naar het buitenland gevlucht. In enkele jaren veranderden ook de zeden: de vrouwen deelden de enkele mannen die in de kampen waren gebleven. Ze hadden veel te veel kinderen in belabberde hygiënische omstandigheden en verkeerden in diepe psychische ontreddering. Het is niet verwonderlijk dat in een dergelijk isolement verkrachting en incest voorkomen. De levensverwachting van vrouwen was in 1992 nog vierenvijftig jaar. In 1997 nog maar eenenvijftig. Aids sloeg hard toe. Van de vrouwen tussen de vijfentwintig en vierendertig was een op de vijf seropositief. Veel kinderen werden geboren met misvormingen, omdat er geen enkele prenatale zorg was. Maar voor deze vrouwen waren kinderen hun enige uitzicht op een toekomst, hun enige manier om te bestaan. Een kind dat na 1993 in een kamp werd geboren, wist niet eens wat een *rugo* was, net zoals de Cambodjaanse vluchtelingetjes in de Thaise kampen dachten dat rijst groeide in de grote zakken van de VN. En in het regenseizoen als er niets meer wil drogen, werd overal gehoest en gerocheld en hing er een doordringende stank van rotting.

Wie ook maar één voet in een kamp zette, werd van alle kanten bestormd door vrouwen en aangeklampt door kinderen, die bedelden om hulp, om voedsel en geld, om een sprankje hoop. Natuurlijk moet hun probleem in groter verband worden bekeken en er moeten oplossingen worden gezocht waaraan iedereen iets heeft. Je zou al die uitgestoken handjes wel willen vastpakken en die kinderen allemaal willen meenemen. Maar je hebt niets aan zulke emoties. Zelfs al was het mogelijk alle kinderen op te nemen, je mag een land niet van zijn jeugd beroven. Je kunt het land beter helpen door het zijn jonge mensen te laten behouden. Hoe kan Burundi zonder zijn jeugd de rampen ooit te boven komen?

Tegen het einde van 1997, toen het leger de meeste regio's weer onder controle had en de internationale druk toenam, werden sommige kampen opgeheven en verrezen er andere, kleinere kampen.

Een land op de rand van de uitputting

De toch al rampzalige toestand van het land verergerde nog door het handelsembargo dat volgde op de machtsovername door Pierre Buyoya in juli 1996. De landen uit het gebied van de Grote Meren stelden die blokkade in om de Burundese regering te dwingen de wettige instanties hun werk te laten doen. De politieke instabiliteit groeide natuurlijk en de kwetsbaarste bevolkingsgroepen waren er de eerste slachtoffers van. Het tekort op de handelsbalans werd groter, de voedselprijzen stegen en de mensen die niet genoeg meer overhielden voor medische zorg en leermiddelen haalden hun kinderen van school. Schoolgebouwen die tijdens de gevechten in puin waren geschoten, werden niet meer hersteld. Zelfs lesmateriaal mocht het land niet meer binnen. Veel banen werden gewoon geschrapt. De sterftecijfers stegen naarmate er minder werd gevaccineerd. Er was geen transport meer om de medicijnen te verspreiden. Door het brandstoftekort konden gemeentediensten geen vuilnis meer ophalen en in de steden dreigden er epidemieën. Het voedsel dat werd verstrekt door de Verenigde Naties, raakte met grote moeite tot in de kampen. De armoede werkte verwoestend. Door het tekort aan kunstmest werd er minder land bebouwd, wat minder oogsten opleverde. De gezondheid van het vee ging achteruit door het gebrek aan veeartsenijkundige producten. Onder druk van de humanitaire organisaties werd het embargo in 1997 gedeeltelijk en in 1999 helemaal opgeheven.

Het was een rampzalige toestand waarin de non-gouvernementele organisaties (Unicef, WFP, FAO, UNDP en WHO*) al die jaren fantastisch werk leverden, in het land en vooral in de kampen, zoals de oprichting van gezondheidscentra, vaccinatiecampagnes, aidspreventie, uitreiking van voedsel en drinkwater, aanleg van sanitair, opleiding van leerkrachten, het bouwen van noodscholen, het maken van schoolradio. Alles werd gefinancierd en uitgevoerd. Maar wie kan er een bodemloos vat vullen?

De duizend gezichten van de gulheid

De Burundezen in Frankrijk bleven niet werkeloos toekijken. Hoe kun je onbewogen blijven als je in kranten en op de tv al dat bloedige nieuws van thuis ziet? Humanitaire hulp is geen exclusiviteit van de blanken, ook al hebben zij er doorgaans de meeste midde-

---

* Respectievelijk: United Nations Childrens Fund, World Food Program, Food and Agricultural Organization, United Nations Development Program en World Health Organization. Hierna gebruik ik nog alleen de term 'agentschappen' ter aanduiding van deze tot de Verenigde Naties behorende organisaties.

len voor en ook al zijn wij zwarten doorgaans niet voldoende opgeleid. Vanaf november 1993, enkele dagen na de moord op de president, ging ik al regelmatig naar Burundi. Ik zag dat de toestand van de vrouwen en kinderen schreeuwde om actie. De hoogste spoed was geboden.

Geld inzamelen is een heel technisch en moeilijk vak, waarvoor een structuur nodig is met mensen die iets van marketing afweten. Onze organisatie dreef uitsluitend op vrijwilligers en ik en mijn man betaalden de onkosten. Omdat grootschalige fondsenwerving was uitgesloten, zamelden we schoolmateriaal en medicijnen in. Ik ben begonnen door bij mijn eigen buren aan te kloppen, vervolgens bij de bewoners van het flatgebouw naast het onze, en zo steeds verder in onze straat, in de wijk, in heel Boulogne-Billancourt. De 'andere leden van de stichting deden hetzelfde. Iedereen sprak zijn buurvrouw aan of zijn nichtje... en de giften stroomden binnen: kleding, medicijnen, boeken, lakens, dekens. Bij het inzamelen, inpakken, verzenden, onderhandelen met de leveranciers en transporteurs, bij alles kreeg ik de hulp van de vrijwilligers en van mijn gezin. Mijn flat stond vol met dozen... gratis verstrekt door de branchevereniging van Bretonse verhuizers!

Tussen 1993 en 1995 was alles een kwestie van leven of dood. Gedurende die periode hebben wij, of om preciezer te zijn, het Franse ministerie voor Ontwikkelingssamenwerking dat ik te hulp had geroepen, achttien humanitaire vluchten naar Burundi georganiseerd. De kabinetschef van de minister, Gérard Larôme, zei me rechtuit: 'Wij hebben geen budget, maar we kunnen het luchttransport voor u uitvoeren.' Al onze spullen werden dus overgevlogen door Franse vliegtuigen. Onder de volgende minister, Jacques Godfrain, werd die onschatbare hulp voortgezet. Jacques Gérard, het hoofd van de Franse ontwikkelingssamenwerking in Bujumbura, kende ons in 1995 een subsidie van (nu) ruim zestigduizend euro toe. We hebben de helft geïnd, maar door bureaucratische verwikkelingen en politieke druk hebben we de rest jammer genoeg nooit gekregen. Maar met wat we kregen konden we drie jaar lang pleeggezinnen ondersteunen die weeskinderen opnamen.

Met het embargo van juli 1996 kwam er helaas een einde aan onze luchtbrug. We moesten een andere transportmogelijkheid zoeken voor onze hulpgoederen. In afwachting van een oplossing besloten we een deel van de spullen te schenken aan andere Afrikaanse landen die net zo hard hulp nodig hadden. Want Burundi is niet het enige Afrikaanse land waar zoveel behoeftige kinderen zijn. Dankzij contacten met andere organisaties kwamen heel wat giften terecht in Congo, Kameroen, Togo en Niger. Het embargo kreeg een onverwachte nevenwerking: op onze eigen bescheiden manier werden we de spreekbuis van alle Afrikaanse kinderen.

Voor het weinige geld dat we inzamelden op *fundraising*-evenementen, kocht ik medicijnen, kleding, dekens en kruidenierswaren die ik rechtstreeks aan de moeders in de *rugo* gaf. Je moet voorkomen dat mensen de schamele groenten die ze kweken om in leven te blijven, verkopen om andere noodzakelijke dingen te kunnen aanschaffen.

De verlaten kinderen

In de vluchtelingenkampen zag ik hoeveel wezen daar rondliepen en hoe erg die kinderen eraantoe waren. Hun lichamelijke toestand was doorgaans om te huilen. Bij ondervoeding wordt geen pigment meer aangemaakt. Het haar van die kinderen was soms zo wit dat ze ' de Noren' werden genoemd. Ze zeiden het zelf ook. Hun huid was gerimpeld en bedekt met schurftplekken en ze waren uitgemergeld en futloos. Andere kinderen waren juist vechtertjes geworden en leefden in bendes van kleine criminaliteit. Zulke kinderen waren het ideale slachtoffer van extremisten van alle kanten. De grote agentschappen en de ngo's deden ook hier weer fantastisch werk, waarbij ze zelfs eigen mensen verloren. Maar de omvang van het probleem bleef kolossaal. Volgens een telling aan het begin van de crisis waren vijfentwintigduizend kinderen eufemistisch gezegd; 'zonder begeleider'. Dat aantal nam in de periode die volgde alleen nog maar toe. Niet al die kinderen waren wees. Sommigen waren van hun families gescheiden tijdens de slachtingen, de uittochten en de hervestigingen. Overal in het land kwam je ze tegen. De agentschappen en de regering gingen na registratie van zulke kinderen hard op zoek naar hun families. Ondanks alle inspanningen bleven er heel veel kinderen alleen.

Ik vroeg aan de wijze van mijn heuvel: 'Wat gebeurde er vroeger als een kind wees werd?' 'Dan werd het opgenomen door de tweede- of derdegraads familie of door de buurtgenoten. Dat gebeurde trouwens niet alleen met weeskinderen. De traditie gebiedt dat als iemand te arm is om zijn kind groot te brengen, hij het toevertrouwt aan iemand die meer bemiddeld is.' Het was geen echte adoptie, het kind zocht zijn eigen ouders regelmatig op. Zijn nieuwe familie nam alleen de opvoeding van het kind over van de ouders. Waarom zouden we dat gebruik dat zolang had bestaan in de *rugo* niet in ere herstellen? De *rugo* is de kern van het traditionele gemeenschapsleven. De term duidt op een ronde, gesloten, intieme plaats, zoals de buik of de borst van de moeder. De *rugo* is de plek waar je het leven leert kennen en waar je wordt ingewijd. Als een moeder haar kinderen iets ernstigs te zeggen heeft, doet ze dat ook niet op straat. Ze roept ze bij zich en het gesprek heeft plaats rond het vuur. De *rugo* is een plek van overdracht, van opvoeding en bescherming.

Aan het begin van de oorlog waren sommige weeskinderen door de sociale diensten geplaatst in pleeggezinnen, die daarvoor een vergoeding kregen. Toen het geld niet meer werd uitbetaald omdat de overheidsdiensten niet meer functioneerden en de staatskas leeg was, werden veel van die kinderen op straat gezet. De lieden die weeskinderen zagen als een bron van inkomsten verloren gelijk met hun bijverdienste hun motivatie om voor ze te zorgen.

Omdat er absoluut iets moest gebeuren zette ik het project Elke *rugo* een weeskind op. Tegen moeders zei ik: 'Ik vertrouw je dit kind toe, want ik kan het zelf niet grootbrengen. Ik roep jouw hulp in en in ruil daarvoor help ik jou, ik geef je zaden, dekens, een lendendoek, een hakschop. Maar ik geef geen geld, want dit kind kon het jouwe zijn en dan zou je dolblij zijn als iemand deed wat jij nu voor dit kind doet.' Zo is de beweging van start gegaan. Ik heb met een paar oproepen het idee kunnen promoten via de radio. Er kwam onmiddellijk respons en het resultaat van de uitzendingen overtrof mijn stoutste verwachtingen. Een van de vrouwen die reageerden, mama Angèle, bracht me een jongetje dat ze in het struikgewas had gevonden. Hij was in tranen. Hij had eten gepikt in een *rugo* en de kookster die hem betrapte, had een heet strijkijzer op zijn billen gezet en hem weggejaagd. We namen het kind mee naar het medisch centrum in de Franse ambassade, waar zijn blaren werden behandeld. Zodra hij uit de kliniek kwam, werd hij opgevangen door mama Angèle, bij wie hij nog steeds woont. Een prachtvrouw, die mama Angèle! Buiten haar eigen vijf kinderen had ze zes wezen in huis! Wij hielpen haar met zaden, melk, babyvoeding, kleertjes, schoenen, met een luisterend oor en heel veel genegenheid.

Een ambtenaar bracht me een adolescent die had moeten toekijken hoe zijn moeder werd onthoofd. Hij was opgenomen door een gezin dat hem achterliet toen het naar Canada vertrok. Die ambtenaar voedt de jongen nu op met zijn eigen kinderen.

Om de wezen beter te kunnen helpen richtten we de vereniging Rugo op. Een vereniging onder Burundees recht, die wordt gedreven door vrijwilligers en één bezoldigde deeltijdpsycholoog. Ons doel is de gastgezinnen gaandeweg zelfstandig te maken, zodat ze onze hulp niet meer nodig hebben. Dat is de bedoeling van de giften die ze krijgen. De ondersteuning wordt bewust bescheiden gehouden omdat een gemotiveerd gezin niet zoveel meer nodig heeft om een of twee monden extra te voeden. Als een moeder groenten verbouwt, kan ze het overschot van haar oogst op de markt verkopen. Vandaar dat we vooral hakschoppen, zaden en klein gereedschap uitdelen. Daarmee kunnen mensen zelf voor hun inkomsten zorgen: onze hulp is een hefboom. We geven ze een duwtje in de rug waarmee ze extra inkomsten voor het hele gezin kunnen verdienen.

Zo is het avontuur begonnen en door mond-tot-mondreclame konden we vijfhonderd kinderen in een gastgezin onderbrengen. De Franse regering gaf me aanvankelijk subsidie, maar die werd jammer genoeg algauw gehalveerd en vervolgens helemaal ingetrokken. Heel Burundi wist dat ik sinds het begin van de oorlog de bevolking had geholpen met tien vrachtvliegtuigen vol hulpgoederen. Wie in de kampen een weeskind vond, bracht het bijna vanzelfsprekend naar de psycholoog van Rugo.

Als je mensen wilt helpen, krijg je onvermijdelijk teleurstellingen en ontgoochelingen te verwerken. Op een dag in 1997, tijdens een bezoek aan een weeshuis van een nogal dubieuze religieuze organisatie, vermoedelijk een sekte, merkten functionarissen van de regering, van de ngo's en ikzelf dat de leiding van de instelling de subsidies niet aan de wezen besteedde maar in eigen zak stak. De meeste kinderen waren er beroerd aan toe en er waren er ook heel wat gewoon verdwenen. Ik heb een van de meest apathische kinderen meegenomen. De stakker was nog maar vel over been. Ik wist dat ik me schuldig maakte aan ontvoering, maar het was de enige manier om het kind te redden van de dood. Ik heb het twee weken bij me gehouden en al die tijd heeft het niets gedaan dan eten, zo uitgehongerd was het. Toen het kind een beetje was bijgekomen, ontfermde mama Angèla zich over hem.

Samen met de psycholoog van Rugo haalde ik de kinderen die er het ergst aan toe waren uit de kampen en van de straat. Dan gingen we op zoek naar een gezin dat ze kon opnemen. Dat stelden we aan het kind voor. Het was net een verloving: we brachten kind en gezin samen om te zien of ze bij elkaar pasten. Op die manier hebben we vijfhonderd kinderen kunnen plaatsen. Ik werd geweldig geholpen door mijn eigen familie en de vrienden ter plaatse. Dat systeem van collectieve solidariteit moest de continuïteit van het plan garanderen, zodat de kinderen ook op termijn konden rekenen op goede verzorging in fatsoenlijke omstandigheden. Onze opzet is om kinderen te redden uit dat rauwe klimaat, uit de bendes waarin ze leven als kleine criminelen, uit een leven zonder opvoeding en liefde. In die sfeer van geweld en verwaarlozing maken ze geen schijn van kans. We willen ze ook uit de officiële weeshuizen houden, waarin ze wel zouden overleven, maar waarin ze slecht worden voorbereid op de toekomst. Wij werken vanuit een perspectief van vredesopbouw: een kind dat weet wat liefde is, dat naar school gaat en een opvoeding krijgt, grijpt niet naar de machete. Het laat zich niet beïnvloeden door schurken, want het kan zich een eigen mening vormen en het heeft al geproefd van de rijkdom die de vrede meebrengt.

Ik heb besloten om voorlopig niet meer dan vijfhonderd kinderen onder te brengen. Onze organisatie heeft niet de middelen om meer te doen. Om de pleeggezinnen te volgen en te begeleiden, ze zaden, hakschoppen, kleding, klamboes – het beste middel tegen malaria – dekens en zeep te bezorgen, heb je geld en mankracht nodig. We moeten om te beginnen zorgen dat de eerste groep kinderen het goed maakt. We mogen ons niet in grootschalige acties storten die we niet kunnen overzien. Veel kinderen hebben ook psychologische begeleiding nodig. De meesten komen door het normale gezinsleven tot rust, maar anderen die kwetsbaarder zijn of meer getraumatiseerd door alles wat ze hebben meegemaakt, hebben extra aandacht nodig en gerichte therapie. Er moet worden achterhaald wat er speelt in die hoofdjes als je niet wilt dat zich jaren later zulke verschrikkingen herhalen. Die kinderen mogen later niet de aanjagers worden van nieuwe gewelduitbarstingen en massamoorden. Haat volgt een geniepige weg met tragische en langdurige gevolgen. Het is een spiraal die we moeten doorbreken als we niet willen dat de rekening van de oorlog wordt betaald in gebroken kinderlevens en dat volgende generaties nog gebukt gaan onder schulden. Machetes werden vroeger gebruikt bij het zaaien en oogsten. Niemand in de heuvels hoefde zich af te vragen of de buurman hem zou binnenlaten of onthoofden.

We worden bij ons opbouwwerk geholpen door de wijzen uit de heuvels, door plaatselijke verenigingen en door de kerkgenootschappen. We werken natuurlijk samen met de grote agentschappen en de ngo's. Onze kleinschaligheid en wendbaarheid zijn onze troefkaarten. We zijn een stukje in de enorme legpuzzel van hulpverlening. Iedereen vindt daarin zijn plaats. De grote organisaties beschikken over veel middelen en mogelijkheden voor analyse en prognose. Wij hebben voornamelijk een grote dosis goede wil en energie, maar wat vooral telt is dat we voortkomen uit de bevolking en dat we snel en doeltreffend kunnen reageren. Op dit moment beperken we onze actie tot Bujumbura omdat we geen transportmiddel hebben. We werken dus in het stadscentrum en een beetje in de kansarme buitenwijken. Maar er is geen plek in Burundi waar ik niet persoonlijk iets gedaan heb of geschonken. Omdat ik net terugkwam van een bezoek aan een kamp waar de mensen te lijden hadden van de kou, vroeg ik eens om honderd dekens aan de directeur van een grote ngo. 'Tja, dan moet ik er eerst een expert heen sturen,' antwoordde hij. Bokkig zei ik: 'Vooruit dan. Ik sla intussen mijn tenten op in uw kantoor en ik ga niet weg voordat ik mijn dekens heb. Bel de politie maar, als u zin hebt...' Ineens was de expert van de baan en ik kreeg niet alleen mijn dekens, maar ook nog een vrachtwagen om ze weg te brengen!

Zonder economische crisis hadden de gastgezinnen best in hun eigen behoeften kunnen voorzien. Maar de toestand is zo zorgelijk dat de gezondheid van de kinderen ernstig wordt bedreigd. De gastfamilies hebben nu allemaal hulp nodig. Tot overmaat van ramp waren de weersomstandigheden de afgelopen jaren bar slecht. Gebrek aan regen had een desastreus gevolg voor de oogsten. Diefstal van voedsel en van zaden is aan de orde van de dag. Aids en malaria eisen steeds meer slachtoffers.

De ngo's leveren hulpgoederen in natura. Het WFP wil ons melk, olie, eiwitkoekjes en peulvruchten geven voor onze vijfhonderd kinderen. Voor de distributie moeten we zelf zorgen. Maar we wachten nog steeds op toestemming van het ministerie... We hadden geraamd dat één weeskind plus de hulp aan zijn pleeggezin in de heuvels jaarlijks 152 euro zou kosten. Twaalf euro per maand! Voor onze begrippen een peulenschil: een dagschotel, een treinkaartje...

Ik blijf volhouden dat het voor een land dat in crisis verkeert cruciaal is dat de weeskinderen er blijven en dat de jeugd niet wegtrekt. Maar in speciale gevallen moet je uitzonderingen maken. Dat was het geval bij twee broertjes van zes en twaalf jaar die hun vader zagen afmaken met de machete, terwijl hun moeder al was vermoord. Zij vonden een nieuwe familie in Frankrijk bij een onderwijzersechtpaar dat iets met Afrika heeft. Zij hadden het verhaal van de broertjes gelezen in het *Pélérin Magazine*. Door tussenkomst van onze organisatie en dankzij de soepelheid en het begrip van de Franse sociale diensten, verliep de adoptieprocedure gesmeerd en konden de jongens worden gered. Ze hebben nu een heerlijk leven in de omgeving van Parijs. De band met hun vaderland is niet totaal verbroken. Ooit, als de vrede is weergekeerd, zullen ze teruggaan om hun familie op te zoeken. Voor ingewikkelde situaties zijn er meerdere oplossingen.

De vrouwen, sleutel tot de wederopbouw

In het verlengde van de Rugo-filosofie ontstond er een spontane vrouwenbeweging. Ik had over de radio verteld over onze wees-kinderen. In aanwezigheid van de pers, vertegenwoordigers van de grote agentschappen (voor Unicef was er Luis Zuñiga, die later in een van de kampen zou worden vermoord) en een veelkoppig pu-bliek had ik aan mama Angèle een medaille uitgereikt voor haar geweldige optreden. Tijdens die ceremonie vroeg een journalist waarom de medaille maar van zilver was. Mijn antwoord was dat ik het aan de allerhoogste nationale overheid overliet om haar goud toe te kennen. Mama Angèle draagt de zilveren medaille nog steeds als een kostbaar sieraad. Aangemoedigd door de onder-scheiding en met onze steun bracht ze een eerste groep vrouwen bijeen die het zat waren om hun hand te moeten ophouden. Voor de oorlog waren ze al niet rijk en het waren plattelandsvrouwen die bonen, zoete aardappels en maïs verbouwden. Met de verkoop van hun producten op de markt hielden ze net genoeg over om af en toe een nieuwe lendendoek te kopen. Maar ze bestierden ten-minste hun eigen leven, terwijl ze in de kampen alle lust verloren om nog iets te doen.

Aanvankelijk bestond de groep rond mama Angèle uit vier-honderd vrouwen van alle etniciteiten en alle godsdiensten. De sa-menkomsten waren voor hen een manier om de vrede te herstel-len. We gaven ze hakschoppen, muskietennetten en zeep. Ik klopte aan bij alle agentschappen, de wvo, wfp, Unicef en het Rode Kruis, die ons allemaal hielpen, omdat wat we deden aansloot bij hun hulpprogramma's voor de allerarmsten, te beginnen met vrouwen en kinderen. De vrouwen van mama Angèle gingen aan de slag en bewerkten met hun allen een paar lapjes grond. In een andere wijk, Buyenzi, vormde zich rond Thérèse een tweede groep van vierhonderd vrouwen om de grond te bewerken en vrede te zaaien. Al die vrouwen schakelden wij weer in bij het project Elke rugo een weeskind. De beweging breidde zich uit tot een andere provincie, Karuzi, waar driehonderd vrouwen in dezelfde geest gingen samenwerken. De gouverneur van die provincie, een van de door de massamoorden zwaarst getroffen gebieden, riep ons te hulp. Er zwierven duizenden vluchtelingen. We probeerden te helpen door hulpgoederen uit te delen in de kampen waar de vrouwen verbleven. We gaven driehonderd hakschoppen weg. De vrouwen werden gegrepen door het gevoel dat ze samen iets konden veranderen. Ze wilden niet bedelen, maar werken.

De uitstraling van mijn familie en vooral de herinnering aan mijn vader en moeder deden wonderen. Toen de vrouwen hoorden dat Rugo de organisatie was van prinses Kamatari, kwamen ze vol vertrouwen naar ons toe. Ze waren ons nog niet vergeten en ze wisten dat ze van mij, net als van mijn vader, alle aandacht en hulp konden verwachten. Ze zagen ook dat ik mijn vaders openhartigheid en overredingskracht had geërfd. Als ik iets wil van de autoriteiten of de agentschappen, rust ik niet voordat ik mijn zin heb gekregen.

Tegenwoordig telt de beweging van de vrouwen van de *rugo* ongeveer duizend leden. Als je daarbij alle mensen optelt die ze onder hun hoede hebben, krijg je een indrukwekkende massa die vanuit Parijs niet te besturen is. We zijn dus aan het reorganiseren om de verantwoordelijkheid te leggen bij de vrouwen zelf, onder toezicht van mijn schoonzusje Carinie. De kordate Mama Angèle die God en iedereen kent, zal voor Carinie een onvervangbare hulp zijn. Angèle weet precies wie wat krijgt en wie waar recht op heeft. Ze is een boekhoudster die zich door niemand zal laten bedotten. De vrouwen bewerken het land en krijgen daarvoor de zaden, maar er zal altijd een reserve worden achtergehouden voor het geval van schaarste of andere rampen. De zaden die nu nog worden geschonken door de vwo en door *Terre des Hommes*, moeten in de toekomst door de vrouwen zelf worden geproduceerd. De 'opper'-*muganwa* (eerste prins) Pascal Gashirahamwe, een neef van ons, stelde een opslagplaats ter beschikking. Daarin kunnen we de hulpgoederen bewaren die we een keer per maand onder toezicht van de dames zelf zullen distribueren. Carinie heeft de sleutel van de loods. De vrouwen moeten nog een beheerder vinden voor de voorraden. Overschotten kunnen worden verkocht, maar altijd onder toezicht van de vrouwen, die al hebben bewezen dat ze uitstekende managers zijn.

Ten minste twee keer per jaar ga ik zelf naar Burundi om alle projecten te kunnen volgen. Tussen 1994 en 1996 ging ik nog vier keer per jaar. De bevolking was zo aan mijn aanwezigheid gewend geraakt dat de mensen op me rekenden. Het embargo bemoeilijkte ook alles. Maar nu zijn we in een nieuw stadium waarin de vrouwengroepen zich dringend moeten herstructureren. De vrouwen moeten weer rust vinden. Er moeten nieuwe hakschoppen komen, want de oude zijn versleten of weggeraakt. Dat alles vraagt tijd en beschikbaarheid.

En we moeten de gelegenheid krijgen om ons werk te doen. In Bujumbura is het misschien niet onrustiger dan in andere steden, maar jammer genoeg ook niet rustiger en daarom kan ik er niet al te lang wegblijven. Anderzijds groeit het geld ook niet aan de bomen en om fondsen te werven moet ik uiteraard in Frankrijk zijn. Ik moet ook Burundi in het nieuws houden, meehelpen een nieuwe kijk op humanitaire hulp te ontwikkelen en mijn kennis van het land inzetten voor de Afrikaanse zaak in het algemeen. Daarbij heb ik veel profijt van de wendbaarheid van onze kleine, onafhankelijke organisatie die minder voorzichtig hoeft te zijn dan de grote internationale organisaties. Het publiek geeft niet meer zo gul. Afrika lijkt een bodemloze put. Je moet de mensen eerst overtuigen dat kleine, goed geleide projecten die echt de bevolking ten goede komen, wel werken en vrucht afwerpen. Laten we vooral hopen dat de andere Afrikaanse landen, die wij zo vaak hielpen met giften, ons niet verdringen in de aandacht van het publiek.

Het van de daken schreeuwen, het onbeschrijflijke laten zien

Het is belangrijk om over heel de wereld en, wat mij betreft in mijn adoptieland Frankrijk, de levensomstandigheden van de Burundese bevolking onder de aandacht te blijven brengen. In 1995 ging de vrouw van de Franse militaire attaché in Burundi met me mee naar Gitega in het binnenland. Onze groep van ongeveer vijftig mensen reisde onder escorte. Ik wilde dat deze vrouw en de mensen die met haar meekwamen met eigen ogen het dagelijkse leven in de kampen zouden zien en ons werk zouden steunen. Zo hebben ze zich persoonlijk kunnen overtuigen dat onze hulp iedereen ten goede kwam en dat we geen onderscheid maakten tussen Hutu en Tutsi. Alle Burundezen in de kampen hadden ons even hard nodig. Ik had mijn oudste dochter Frédérique meegenomen, die ongelukkig genoeg haar knie bezeerde. Daardoor werden we opgehouden en konden we diezelfde avond niet meer terug naar Bujumbura. Alle wachtposten waren al gesloten voor de nacht. We moesten dus ter plekke blijven slapen. De groep was er niet gerust op en ik moet bekennen dat ook ik hem behoorlijk kneep. Op stel en sprong onderdak en eten vinden voor vijftig mensen is geen kleinigheid in een land in oorlog. Het leger heeft zich over ons ontfermd en slachtte een geit, die we hebben opgegeten rond een groot vuur dat ons goed warm hield. De officiële Franse delegatie heeft in die verre uithoek van Burundi de hele avond tafelvoetbal gespeeld tegen het Burundese leger. Als het personeel van de Franse ambassade al vooroordelen had, werden ze daar die avond vast en zeker van verlost! Een van de escorterende politiemensen is later nog verschillende keren met mij teruggegaan naar de kampen. Hij heeft zich gevestigd in Burundi, waar hij nu van zijn pensioen geniet.

Bernard Debré, de Franse minister voor Ontwikkelingssamenwerking die ook een grote rol speelde in de gesprekken in aanloop naar de vrede, vergezelde me in 1994 naar een van de kampen. De contacten met Frankrijk dateerden niet van gisteren en iedereen wist dat alles wat ik naar Burundi bracht afkomstig was uit dat goedgeefse land en was ingevlogen dankzij het ministerie voor Ontwikkelingssamenwerking. Die keer had ik een heleboel cadeautjes in mijn bagage, want ik wilde in het kamp van Bukeye een kerstboom optuigen. Zuster Catherine, een buitengewone vrouw, zou me helpen. Bukeye is de geboorteplaats van mijn vader. Overal staan nu nog *ibigabiro*, de koninklijke bomen die werden geplant ter ere van zijn geboorte. Papa Kamatari had de plek geschonken aan de missie. Ik ben vreselijk gehecht aan Bukeye. Daarom wilde ik juist daar een kerstboom neerzetten, in dat grote, overbevolkte kamp. Bernard Debré, die net in Bujumbura was, wilde eraan bijdragen. Het stadsbestuur van mijn Franse woonplaats Boulogne-Billancourt, dat ook gul was bijgesprongen, had een vertegenwoordiger gestuurd. Ik ging in het bos een dennenboom uitkiezen, samen met een groep kinderen die nog nooit van hun leven een kerstboom hadden gezien. We zetten hem neer op de speelplaats van de school, op de plek waar anders de vlaggenmast stond. We hebben hem opgetuigd met slingers (met dank aan het warenhuis Monoprix in Boulogne!), terwijl de kinderen die nog les hadden zich voor de ramen verdrongen of ontsnapten aan hun onderwijzers en in een grote stofwolk kwamen aangehold. Ze kregen ten slotte allemaal vrij om met ons te kunnen meedoen. De oudere kinderen van de middelbare school hadden dansen ingestudeerd om ons te verwelkomen.

Bernard Debré is bovenal arts en hij bekeek het kamp met andere ogen dan de doorsnee officiële bezoekers. De belabberde sanitaire situatie ontging hem niet, maar hij liet niets merken. Hij speelde zelfs voor Kerstman. De vrachtwagen met boeken, medicijnen, kleren, een deel van de cadeautjes en nog allerlei andere spullen was opgehouden wegens een militair offensief die dag. We moesten dus improviseren, maar dat kon de feestvreugde niet drukken. Vreugde voor mij, dat ik het feest had kunnen organiseren en dat mijn broer Pascal even was langsgekomen. Vreugde over de mooie toespraken. Vreugde ook voor al die mensen om ons heen, die hoopten dat ons bezoek een oplossing voor hun problemen zou kunnen brengen en hun ellende zou kunnen verlichten. Voor die mensen betekenen zulke bezoeken een adempauze, een contact met de 'normale' wereld, een teken dat ze niet helemaal vergeten zijn in hun bijna eenzame afzondering. Bernard Debré, die intussen zijn medische praktijk weer heeft opgevat, is dat bijzondere kerstfeest ook niet vergeten en blijft me steunen.

Toen Federico Mayor, de toenmalige directeur-generaal van de Unesco, zijn bezoek aan Burundi aankondigde, wilde ik hem in elk geval laten kennismaken met een stukje dagelijkse realiteit in de kampen. Zijn trip mocht zich niet beperken tot de salons van de ministeries. In gemakkelijke stoelen over vrede praten is nodig, maar het is nog beter om het onbeschrijflijke ter plekke te gaan bekijken. In Parijs zocht ik in het hoofdkantoor van de Unesco de kabinetschef van Federico Mayor op, die me tegen zei: 'Als het u lukt om dat in het programma in te passen, zie ik geen bezwaar.' Daarmee dacht hij eraf te zijn, want gezien de drukke agenda van zijn baas geloofde hij niet dat me dat zou lukken. De volgende dag vertrok ik naar Bujumbura, waar ik hemel en aarde heb bewogen en na keihard onderhandelen met de ambtenaren erin slaagde om een bezoek aan het kamp van Buyenzi in het schema te wringen van meneer Mayor. Ik moet zeggen dat de Burundese permanente ambassadeur bij de Verenigde Naties, Marc Nteturuye, daartoe zijn steentje heeft bijgedragen. Natuurlijk werd het programma uit veiligheidsoverwegingen telkens tot op het laatste moment veranderd. Ik ben nog tekeergegaan dat het kamp verdorie niet in een ander werelddeel lag, maar op vijf minuten van het hotel. 's Ochtends in alle vroegte stond Federico Mayor dan eindelijk in Buyenzi. Precies zoals ik had gepland. Bij het bezoek van Bernard Debré aan Bukeye had het me al geïrriteerd dat de autoriteiten te zijner ere het kamp hadden schoongemaakt. Wat een misser! Ineens stond daar een viersterrenkamp, alles was opgeruimd en er was niets meer te zien van de erbarmelijke omstandigheden waarin de mensen werkelijk leefden. Gelukkig was de minister ervaren genoeg geweest om dat beeld zelf te corrigeren. Ik wilde hetzelfde niet nog eens meemaken in Buyenzi. 's Nachts had het zwaar geregend. We schreven maart 1996 en er lagen nog kinderen te slapen in jutenzakken op het muurtje naast de loods. De tranen schoten Mayor in de ogen. 'We gaan u helpen, dit is een werk van liefde,' schreef hij me later. Telkens als ik hem later ergens ontmoette, begon hij weer over het kamp. Dat jaar ontving hij trouwens de Burundese trommelspelers bij de Unesco in Parijs. Mayor heeft er altijd voor gezorgd dat mijn land gesteund werd via de lopende en bijzondere programma's van de Unesco.

Een bevolking die wegkwijnt

Burundezen zijn een kalm, geduldig volk. Maar als je ziet in welke ellende ze nu leven, vraag je je af wanneer de bom barst. De bevolking is niet veeleisend. In het veld en in de heuvels leefden de mensen vroeger op het ritme van de dag en van de seizoenen. 's Zondags gingen ze naar de mis, ze verkochten hun oogsten op de markt en gaven weer uit wat ze daarmee verdienden. Ze kochten een lendendoek voor hun vrouw, een schooluniform voor hun kind... Maar nu houdt een gezin daarvoor niet genoeg meer over. Om te kunnen overleven verkochten mensen dus hun dieren, waardoor ze ook hun toekomstige inkomsten in gevaar brachten. Ze verkochten zelfs de golfplaten van hun dak om eten te kunnen kopen, en de hongersnood verergerde nog door de droogte die nu al drie jaar achtereen aanhoudt. Geen regen, geen bonen. De boeren halen water uit de rivier en zijn de godganse dag bezig om hun akkers te bevloeien. Heel de regio is getroffen door de opwarming van de aarde. Een gemiddelde van een paar graden meer is op zich al erg, maar in oorlogstijd is het een regelrechte ramp. Er breken spontaan branden uit. De bomen die blijven staan, worden gekapt. Hele streken worden ontbost door houthandelaren die geld genoeg hebben om hun kinderen naar het buitenland te sturen. In zulke barre leefomstandigheden is het ieder voor zich en iedereen wantrouwt iedereen. De liefde voor het vaderland sneuvelt in de strijd om het bestaan. Weg is de eendracht waarmee onze voorvaderen de Arabieren bestreden die Burundi probeerden te onderwerpen. De hulp tussen de *rugo* onderling wordt van jaar tot jaar minder. De nieuwe eenheid is er een tussen angst en armoede. We hebben gezien wat dat oplevert. Veel mensen hebben de moed opgegeven. Hoe kun je mensen aanmanen om aan het komende seizoen te denken? Ze kunnen alleen maar bezig zijn met de dag van morgen. Ze zijn uitgeput door de zorg voor hun gezin, voor vanavond, morgen en overmorgen.

Ook de oma's

Omdat ik me vooral bekommer om weeskinderen en vrouwen, begin ik voorzichtig te denken aan een ander project, waarover ik al heb gesproken met mensen van het UNDP*. De bedoeling is om bejaarde alleenstaande vrouwen samen te brengen met weeskinderen. Die twee groepen hebben eenzelfde schreeuwende behoefte aan genegenheid. In de zwaar getroffen provincie Karuzi zou men eenzame bejaarde vrouwen een kind kunnen toevertrouwen: 'Jij mag het opvoeden en je wordt zijn of haar grootmoeder. Het kind kan water uit de rivier voor je halen. Het zal je helpen met alle dagelijkse klusjes en hulp gaan halen als je ziek wordt. 's Avonds vertel jij verhalen. En je waakt over zijn opvoeding en zorgt ervoor

* United Nations Development Program.

147

dat het naar school gaat.' Die oude vrouwen kunnen nooit meer terug naar de heuvels waar ze vandaan komen. Ze zijn te oud, te zwak en te bang. Ze hebben hun families zien afmaken met machetes. De beulen lieten hen met opzet in leven opdat ze konden navertellen wat ze zagen gebeuren. Als een levend museum, als getuige. De regering heeft in heel het land rijen rechthoekige huisjes naar West-Afrikaans model voor ze laten neerzetten. In Burundi wordt in ronde vormen gebouwd. Die wijkjes zijn van een vreselijke treurnis, het zijn getto's van bejaarden en armen, geïsoleerd van de rest van de bevolking, die langzaam aan het terugkeren is naar de heuvels. De gemeenschap moet traditionele *rugo* bouwen voor die oude vrouwen die, als mijn plan doorgaat, voor de weeskinderen zullen zorgen. De agentschappen lijken wel iets te zien in dat idee van *rugo* voor oma's en kinderen. De Belgische ambassadeur heeft heel positief gereageerd toen ik hem mijn project voorlegde. Ik denk dat we het plan eerst moeten uitproberen. Als de resultaten bemoedigend zijn, kunnen we het project uitbreiden. De oma's hebben zoveel te vertellen en zoveel liefde te geven. Genegenheid en cultuuroverdracht, de twee pijlers van onze persoonlijkheid en ons geestelijk evenwicht, zouden zo zijn verzekerd. Ook kunnen de bejaarde vrouwen hun leven weer zin geven.

Als de toekomst beangstigend is, moeten we het kapitaal van vertrouwen aanspreken dat in ieder van ons sluimert. Dat is wat mij aanspoort om telkens weer nieuwe oplossingen te bedenken. Dankzij de banden met het verleden kan ik helpen bedenken hoe morgen eruit moet zien en alles doen om te zorgen dat die nieuwe tijd ook aanbreekt. Tijdens een van mijn laatste bezoeken aan Burundi wilde ik anoniem blijven, geen interviews geven en kijken hoe de zaken ervoor stonden. Maar ik ben nu eenmaal overbekend in Bujumbura. Na een dag of vier kwamen de armen rondsnuffelen in de buurt waar ik logeerde bij mijn schoonzuster Carinie en ze vroegen aan de bewakers: 'Waar is de prinses, we hoorden dat ze hier is, in welke *rugo* zit ze?' Ik zag twee van onze oude opzichters, die nu in mijn organisatie werken. Ze leefden in een hervestigingskamp in de heuvels van Bujumbura. Het had ze niet veel moeite gekost om me te vinden. Michel kwam tegen zonsopgang en begon de tuin op te knappen alsof er niets aan de hand was, alsof hij daar altijd al had gewerkt. Venant dook een paar dagen later op. Hij is een expert in de verzorging van witte kleding. Hij begon mijn omgeving meteen uit te foeteren: 'Weten jullie dan niet waar je stijfsel moet halen voor de kleren van mijn prinses?' Hij vertrok, kwam terug met stijfsel en heeft al mijn kleren onderhanden genomen. Michel en Venant zijn twee weken gebleven. Toen ik vertrok gingen ze bedroefd terug naar het kamp, waarvan ze al wisten dat het opgedoekt ging worden en dat ze ergens anders heen moesten, maar waar? Naar de heuvels, misschien? 'Wees niet bang, we horen het wel als je terugkomt. Het nieuws komt altijd door, boodschappen bereiken ons altijd, waar we ook zijn', zeiden ze tegen me. Ze herinnerden zich het verleden, ze geloofden in de toekomst.

Op de vulkaan

Tijdens dat bezoek werd ik vreselijk verontrust door de sociale kloof. Zoveel in het oog springende rijkdom en zoveel diepe armoede maken een landje van driehonderd bij driehonderd kilometer tot een kruitvat. Het embargo en de oorlog hadden sommige mensen schatrijk gemaakt. De vredesonderhandelingen leverden heel wat lucratieve nieuwe baantjes op. Nog nooit hadden er zoveel schitterende auto's in Bujumbura rondgereden. De bars rezen als paddestoelen uit de grond. Je vindt ze op alle kruispunten en in alle buurten. Het zijn gewone huizen waarvan een kamer tot café werd vertimmerd. Om wat bij te verdienen is alles goed. Geroosterde spiesjes, cola, bier, met alles valt iets te verdienen. Er werden zelfs containers ingericht als kroeg. Heel de stad is één groot café.

Niemand trekt zich iets aan van de avondklok. De mensen mijden hooguit de straten en lopen door huizen en tuinen heen. Iedereen probeert ondanks alle narigheid 's nachts buiten door te feesten. Het is een manier om de angst te bezweren. Sinds de opheffing van het embargo begint de avondklok om middernacht. Eerst was dat om zeven uur 's avonds en daarna nog een tijdje om negen uur. Je leert leven met onveiligheid. De inwoners van Bujumbura vermijden het gewoon om de bruggen te gebruiken. De buitenlanders zien een kalme stad met mooie villa's. Waar ooit bougainvilles groeiden staan nu hoge muren, maar in de tuinen bloeien flamboyants en frangipaniers. De internationale conferenties spelen zich af in de grote hotels. De congresgangers worden niet verondersteld naar buiten te gaan. De enkeling die wel de stad bezoekt, staat verbaasd over de rust en vraagt zich af hoe Bujumbura aan zo'n slechte naam komt. Die reputatie is ook overdreven, want met de juiste papieren op zak kun je rustig overal rondlopen. In de haven worden goede zaken gedaan, schepen varen af en aan, alles functioneert en aan niets is te merken dat het land in oorlog is. Er zijn goede wegen, er stijgen vliegtuigen op, de markten liggen altijd vol en overal staan flatgebouwen. Hele families verrijken zich. Op zich is daar niets tegen, behalve uit het oogpunt van sociale rechtvaardigheid...

De overheidsdiensten weten bliksems goed met wie ze te maken hebben. Op een avond werd ik bij een wegversperring aangehouden door de gemeentepolitie. Ik heb nooit mijn papieren bij me. De leider van de patrouille liet me uitstappen en droeg aan de man die bij me was op om mijn papieren te gaan halen. Ik moest blijven wachten. Ik zei tegen de agent: 'Sta me toe dat ik me voorstel. Ik ben prinses Esther Kamatari.' De jonge man zette grote ogen op: 'O, bent u dat? Rijdt u dan maar door.' Al kent niet iedereen mijn gezicht, vooral de jongeren niet, mijn naam is bekend en mijn stem ook. Die horen ze zo vaak op de radio dat ik altijd meteen word herkend als ik iemand opbel.

Door een ongelukkig misverstand werd ik die reis niet, zoals gebruikelijk, ontvangen door de autoriteiten. In december 1999 was ik in Montréal voor de grote Civil Society Conference. Bij die gelegenheid was ik geïnterviewd door een journalist van een vrouwenblad. Ik had verteld hoe begaan ik was met kinderen en niet alleen met de jeugd van Burundi. Ook elders in Afrika lijden kinderen. We mogen ons er niet bij neerleggen dat zij het ergst worden getroffen door de oorlogen. Ik had het voorbeeld gegeven van de kinderen die in Sierra Leone door gewapende bendes worden ontvoerd. En ik had verteld van het jongetje dat gedwongen werd zijn eigen moeder te doden en op te eten. De journalist die me interviewde, schreef het artikel zo dat het net leek of die verschrikkingen niet in Sierra Leone maar in mijn eigen land waren gebeurd. Het blad verscheen ook in Burundi. Ik heb daar heel wat moeten uitleggen. De fout lag uiteraard bij het tijdschrift, want waarom zou ik mijn eigen land bekladden? Maar natuurlijk had ik het artikel voor publicatie moeten lezen. Je kunt niet voorzichtig genoeg zijn als het om zulke gevoelige dingen gaat... Nu moet ik de zaak laten betijen en ervoor zorgen dat het incident ons werk geen schade berokkent. De Burundese overheid kan me niet verhinderen om me in te spannen voor mijn organisatie, maar ze kan me het leven wel extra moeilijk maken.

Gala's, modeshows en heel veel goede wil

Ik heb al verteld dat ik in Frankrijk niets anders deed dan geld en spullen inzamelen. In november 1994 mocht ik in de mooie zalen van het gemeentehuis van Boulogne-Billancourt de eerste hautecoutureshow voor een humanitair doel organiseren. De voorzitter van de Fédération Française de la haute couture wierp heel zijn gewicht in de schaal en vroeg alle ontwerpers van naam om mee te doen. Twintig beeldschone meisjes in schitterende avondkleding van onder anderen Cardin, Dior, Saint-Laurent, Scherrer, Givenchy, Ungaro en Paco Rabanne defileerden op choreografieën van Bernard Trux en Norbert Schmit. Die twee moet ik speciaal noemen. Ze hebben mij het vak geleerd, vaak met harde hand, maar met enorme vakkundigheid. En zoveel jaren later mocht ik voor deze show nog eens van hun talenten profiteren. Zij stonden in voor het succes van de avond door alles op zich te nemen, de muziek, de choreografie en de belichting. We openden met ontwerpen van Paco Rabanne, op het ritme van Burundese trommels. De betekenis van die avond kan niet genoeg worden benadrukt. Je zag couturiers die elkaar anders altijd beconcurreerden eensgezind samenwerken om de kinderen van de *rugo* in gezondheid te laten opgroeien en ze naar school te laten gaan. En dat in die prachtige zalen in goud en zwart, ontworpen door Charlies Garnier, dezelfde architect die de Opéra van Parijs ontwierp. De opbrengst van de avond was grandioos. De vijfhonderd gasten wedijverden in vrijgevigheid en we haalden ruim vijftienduizend euro op. De volgende dag bij het concert van de gebroeders Touré Kounda was het vuur van de solidariteit nog niet gedoofd. Natuurlijk was de opbrengst niet netto. We hadden onkosten zoals de verzekering en de muziekrechten, maar we konden er heel wat lesmateriaal en medicijnen voor kopen. Ik vertrok naar Burundi met veertig ton aan vracht en als gift van Renault-Boulogne een spiksplinternieuwe ambulance, die ik aan het Burundese Rode Kruis heb overgedragen. Ik kom hem af en toe nog tegen in de heuvels.

Ook in 1994 maakten we een deal met het warenhuis Monoprix in Boulogne. De jongeren van onze organisatie en ik gingen aan de uitgang van de winkel staan om de klanten te helpen met het uitladen van hun boodschappenkarretjes. We vroegen daarvoor het muntstuk uit het slotje. Als ze meer wilden geven boden we schoolbenodigdheden te koop aan en we nodigden ze uit om een kaartje te schrijven aan de kampkinderen. We hadden van een uitgever een voorraadje ansichtkaarten gekregen. We beschreven de dames – de clientèle bestond voor vijfentachtig procent uit vrouwen – het leven van de kinderen in de kampen. Voor wie alles kwijt is, betekent zo'n kaartje dat er ergens iemand aan hem denkt. Heel aardig schreven de meeste vrouwen een paar zinnen en dat is niet gemakkelijk. Schrijven aan iemand die je niet kent, die in onvoorstelbare omstandigheden leeft in een onbekend land vraagt heel wat inlevingsvermogen en verbeeldingskracht. Alle vrouwen lieten hun moederhart spreken.

De jongeren van de Vereniging van Burundezen in Frankrijk werken geweldig met ons mee. De een trommelt de ander op en ze slepen hun vrienden mee. De dagelijkse beslommeringen van de officiële aanvragen en de adminstratie knap ik alleen op. Maar zodra er werk aan de winkel is, staat iedereen klaar. We hebben niet genoeg geld om ons op professionele leest te schoeien, maar we kunnen altijd rekenen op de jongeren. Ze pakken de spullen in die we krijgen, versjouwen pakketten, spelen hostess bij een evenement en zodra we ze nodig hebben, zijn ze er. Ze studeren of werken. Ze zijn niet per se Burundees, maar wel zwarten van verschillende afkomst (inclusief Antilliaanse en Amerikaanse). Ze zijn trots op me en op mijn vasthoudendheid. Ik heb natuurlijk mijn dips, maar ik laat me nooit ontmoedigen. Ik sleep ze altijd weer mee in nieuwe acties. Ze beschouwen me als een soort tante en noemen me eerbiedig 'prinses' en zelden Esther, want ze zijn nog heel jong. Ze komen bij me met hun problemen, als ze iets moeten weten en als ze hulp of raad nodig hebben. Voor de Burundezen ben ik vanzelfsprekend een historisch en familiaal ankerpunt, maar dat is niet het hele verhaal; ook niet-Burundezen weten hoe gewichtig de rol is van de hoge families die in alle Afrikaanse landen bescherming en bijstand geven. De jongeren kennen het belang van het verleden en van de Afrikaanse tradities.

In 1995 organiseerde ik een modeshow in de badhuizen van Vichy. Het was een voorpremière van de collectie van Léonard, zelfs nog voor de persshow. We werkten samen met plaatselijke verenigingen en een hele rits beschermheren. We hadden heel belangrijke gasten, waaronder Pélagie Nduwayo, de echtgenote van de Burundese eerste minister die net op staatsbezoek was. De Franse staatssecretaris voor Humanitaire Actie, Xavier Emmanuelli, was onze beschermer. Alle mannequins deden gratis mee. De opbrengsten van de show en de collecte in de stad werden meteen omgezet in schoolbenodigdheden. De schoolschriften kochten we in Frankrijk, omdat de oorlog in Burundi zelf de productie ervan had lamgelegd. Het zou natuurlijk ideaal zijn geweest al die spullen in Burundi aan te schaffen. Dan sla je twee vliegen in een klap: je geeft kinderen en gezinnen wat ze nodig hebben en je bezorgt een impuls aan de lokale economie, wat de werkgelegenheid ten goede komt. Maar dat kon toen nog niet. Ik had gelukkig de mogelijkheid om al die vracht te versturen op kosten van het ministerie voor Ontwikkelingssamenwerking.

In 1996 organiseerde ik een grote Franse tournee voor de Burundese trommelspelers. Die ingewikkelde klus, die enorm veel voorbereiding vroeg en veel begeleiding en mankracht eiste, deden we samen met de fantastisch efficiënte Unesco en het Huis voor Wereldculturen. Mijn dochter Frédérique hielp me geweldig, zowel voor als tijdens de tournee, die we samen begeleidden. De helft van de zesentwintig trommelaars was beroeps. Ze waren officiële toonkunstenaars, in dienst van het Burundese ministerie van Cultuur. De andere helft kwam uit het kamp van Buyenzi. Uitgedost in de kleuren van onze nationale vlag en opgesteld in een halve cirkel, trommelden ze een verrukkelijk ritme en dansten ze beurtelings voor de grote trommel in het midden. Ze maakten grote indruk door hun behendigheid. Ze konden hun trommel zelfs bespelen als die op hun hoofd balanceerde. Het publiek bracht schoolschriften, potloden en dergelijke mee ter waarde van een toegangskaartje van tien euro. In alle steden waar we kwamen, stonden containers klaar waar de mensen hun spullen in kwijt konden. Sommige gemeentes gaven ons geld. Voor het begin van elk concert hield ik een praatje over Burundi en over de kinderen. We gaven het publiek het beste van onszelf en het heiligste wat we hadden, onze muziek en onze cultuur. In ruil daarvoor vroegen we de toehoorders hulp voor onze bedreigde schat, onze kinderen. We deden ruim dertig steden aan en reisden van oost naar west en van noord naar zuid. We haalden zeventig ton aan materiaal op. Het enige incident dat de tournee verstoorde, waren stenengooiers in een stad in het zuiden van Frankrijk. In Lyon kwamen drieduizend mensen in het theater van Fourvière luisteren naar de Burundese drummers. In Brest was de mensenmassa onafzienbaar. We gaven verschillende concerten in Boulogne en één in Parijs op de Parvis des Droits de l'Homme bij de Place du Trocadéro. In het gebouw van de Unesco stonden de trommelaars voor een symbolisch vredesdecor van vlaggen van alle landen van de wereld.

Wat naamsbekendheid en de verspreiding van onze boodschap betreft, was deze tournee een geweldig succes. Financieel speelden we quitte. De operatie had een zware logistiek gevraagd. We kregen te maken met onverwachte tegenslagen, die des te vervelender waren omdat een van onze grootste sponsors erdoor afhaakte. Halverwege onze tournee, in juli 1996, pleegde Pierre Buyoya de staatsgreep die hem weer aan de macht bracht en de buurlanden reageerden onmiddellijk met een embargo. De terugreis van de trommelaars, in begin september, moesten we ineens zelf betalen, omdat het Burundese ministerie van Cultuur dat niet meer deed. Godzijdank is de hele groep naar Burundi teruggekeerd. Niemand heeft me te schande gemaakt door in Frankrijk politiek asiel aan te vragen. Ik heb de mannen zelf teruggebracht naar Burundi, waar ze beroemd zijn geworden. Die voormalige bewoners van het kamp van Buyenzi hebben weer een normaal leven kunnen opbouwen. Ze hadden met ons avontuur meer verdiend dan ze kregen voor de officiële staatstournees. We werden de hele reis vergezeld door een functionaris van het ministerie van Cultuur en iemand van de stad Bujumbura.

De terugtocht naar Parijs, in tegengestelde richting van de in-gewikkelde reis die ons per vliegtuig van Parijs naar Kigali in Rwanda had gebracht en per vrachtwagen van Kigali naar Bujum-bura, werd ronduit grimmig. Ik vloog eerst van Bujumbura naar Ngozi in een rammelkast die de piloot maar met moeite in de lucht leek te houden. Nadat hij ons had afgezet en met nieuwe pas-sagiers was opgestegen naar Bujumbura, vloog hij inderdaad voor onze ogen tegen een heuvel te pletter. In afwachting van de red-dingsploegen hebben we zelf de gewonden, van wie sommigen er vreselijk aan toe waren, uit de wrakstukken gehaald. Een auto bracht ons net op tijd in Kigali om het vliegtuig nog te halen, maar het grondpersoneel wilde ons niet meer doorlaten omdat we te laat waren. Ik ben toch nog uitgeput in Parijs aangeland, waar ik twee maanden nodig had om bij te komen.

Meer dan welke andere bezigheid lijkt de humanitaire actie op een lange, trage rivier. Je maakt van alles mee. Je krijgt ontgooche-lingen te verwerken en je moet allerlei onzin slikken zonder van je stuk te raken. Met aardigheid alleen kom je niet ver en er is geen geëngageerd mens die niet een keer zijn idealen onderuit heeft zien gaan. In 1996, nog voor het embargo, werd mijn relatie met het Franse ministerie voor Ontwikkelingssamenwerking, die nog altijd mijn spullen vervoerde, vergiftigd. Deogracias, de chauffeur van de oude ambassadeur van Burundi, werd door diens opvolger ontslagen en moest terug naar Burundi. Hij vroeg mij of er een paar van zijn persoonlijke spullen in mijn containers mochten. Het ging om keukengerei, een paar dingetjes maar. Bij dat trans-port werd een van de containers vastgehouden in Dar-es-Salaam. Alleen onze container met de spullen van Deogracias arriveerde in Bujumbura en werd uitgebreid gecontroleerd. De ambtenaren die hem openmaakten hadden een goede dag: in de koffers van Deogracias zaten tachtig flessen champagne, schoenen en haar-crèmes! Het voedde natuurlijk allerlei geruchten dat onze huma-nitaire hulp verkapte smokkelarij was. Er werden nog veel ergere verhalen over ons rondverteld. Mijn moeder (zij was al vijf jaar dood) en ik zouden een winkel hebben in Bujumbura waar we verdachte waar verkochten. Of minister Xavier Emmanuelli al die verhalen geloofde, kan ik niet zeggen. Wie gelooft er serieus dat een eenvoudige chauffeur zich tachtig flessen champagne kan veroorloven? Als het een bewuste operatie 'beschadiging Kamatari' was, is ze goed geslaagd. Want er kwam een einde aan de voordelige transportregeling en ook aan mijn goede relatie met het ministerie. We hebben de verdeling van spullen op een laag pitje moeten zetten en bijgevolg ook de inzameling ervan. De distributie van kleding en materiaal is een moeilijke operatie en het is erg om te moeten aanzien dat er onderweg naar de kampen heel wat verdwijnt. Ik ben altijd zelf met de konvooien meegereisd, maar dat heeft niet steeds mogen baten. We richten ons ook steeds meer op het inzamelen van geld via de media. Dat geld kunnen we rechtstreeks pompen in nuttige projecten voor vrouwen en weeskinderen.

De wonderbare genezing van Gilbert

Gelukkig is niet alles teleurstellend en vals. In 1997 was het verhaal van Gilbert, een dapper kereltje van zeven jaar oud, een geweldige opsteker voor me. We toonden de kampen eens aan een team van de televisiezender TV 5 en we kwamen er de vreselijkste toestanden tegen. Ik moest eigenlijk eerst spullen brengen naar een kamp in Mbuye, in het binnenland. Maar zware regenval had de wegen onbegaanbaar gemaakt en Mbuye was onbereikbaar. Ik ging daarom met een paar mensen van het WFP, een van onze hoofdsponsors, naar Gitega, waar een klein weeshuis staat. Daar leerde ik Gilbert kennen. Zijn zwangere moeder was gedood door een granaat tijdens de slachtingen van Bugendana, waarbij vierhonderd mensen het leven lieten. Gilbert, die zich achter zijn moeder verschool, kreeg een granaatscherf in zijn hoofd. Hij werd naar het dichtst-bijzijnde weeshuis gebracht, waar zijn wond haastig was gehecht en waar hij nu lag te wachten op een zekere dood. Zijn hersens lagen open en bloot in zijn gespleten schedel en zouden bij het minste stootje worden beschadigd. Ik besloot hem mee te nemen en er alles aan te doen om hem in Frankrijk te laten behandelen. Ik gaf de kinderen in het weeshuis mijn erewoord: Gilbert komt genezen terug.

Ik wist waar ik aan begon, ondanks het embargo een ticket regelen, een gastgezin in Parijs, chirurgen en geld om de hele zaak te betalen. Tijdens het embargo was ik zoveel mogelijk hulpgoederen blijven sturen naar Burundi, tweemaal twee ton. Ze gingen eerst per trein van Parijs naar Charleroi in België en daar op een vliegtuig dat was gecharterd door Air Tanganyika, een maatschappij van een Burundees en een Belg, die in die periode heel veel voor Burundi heeft gedaan en die ons geweldig hielp. Van Charleroi ging het naar Caïro, want Egypte was het enige land dat niet meedeed aan het embargo, en vervolgens van Caïro naar Bujumbura, waarbij de boordradio werd uitgezet, zodat die niet kon worden gepeild. Air Tanganyika, dat had aangeboden om Gilbert te vervoeren, was intussen opgeheven en uiteindelijk was Air France zo gul om mijn beschermelingetje een ticket te geven.

Het gastgezin in Parijs was niet moeilijk te vinden en er meldde zich een chirurg die Gilbert wilde opereren. Gilbert zelf kwam pas vier maanden later. Ik belde voortdurend om nieuws en telkens weer was ik bang te moeten horen dat zijn toestand was verslechterd. En toen ging ineens alles heel voorspoedig. Ik moest nog naar Nigeria om het internationale modefestival van Ténéré voor te bereiden en ik werd uitgenodigd door president Baré en zijn vrouw. Ik vertelde ze over mijn organisatie en over Gilbert. Vlak voor ik weer naar Frankrijk vertrok, ik stond al op het vliegveld, werd ik aangesproken door een man uit de entourage van de president. Hij bracht me een enveloppe met het geld voor de operatie en een briefje van de president en mevrouw Baré: 'Hierbij onze bescheiden bijdrage ter ondersteuning van uw edelmoedige initiatief om Gilbert te redden. Met al mijn respect en aanmoediging.' Zijn gebaar was des te grootmoediger omdat het zo discreet was. Ik vertel dit verhaal nu omdat de president een jaar later werd vermoord. Thuis ging ik door met links en rechts geld bijeen te schrapen. Ik heb bijvoorbeeld de nieuwe Renault Clio ten doop gehouden, waarvoor ik een modeshow organiseerde met steun van de trouwe Paco Rabanne. Al die verschillende geldstroompjes werden samen een smalle, maar bevaarbare rivier!

Gilbert kwam naar Parijs onder begeleiding van onze eigen psycholoog en hij werd geopereerd. De hersteloperatie (zijn schedel moest helemaal worden gereconstrueerd) duurde meer dan acht uur. Gilbert moest daarna drie weken in het ziekenhuis blijven en kon toen naar zijn pleeggezin in Boulogne. Daar is hij gebleven tot augustus. Ik heb een genezen Gilbert teruggebracht naar Burundi, met een vlucht die Air France ons allebei cadeau had gedaan. Ik had mijn plechtige, maar riskante belofte aan de kinderen van het weeshuis gehouden. Gilbert was weer thuis en hij was beter.

De hele onderneming slaagde dankzij al die generositeit, van officiële zijde zoals het gemeentebestuur van Boulogne, de school van mijn kinderen, het ziekenhuis, Air France, maar ook van particulieren. Ik was vooral erg getroffen door de giften van de lezers van *Pèlerin Magazine*, van een mannequin, van Paco Rabanne. Heel veel schakels in die keten van solidariteit wilden anoniem blijven. Het moeilijkste was het nog om voor Gilbert een visum te krijgen. Op de Franse ambassade in Bujumbura hadden ze helemaal geen zin de jongen in Frankrijk toe te laten. We moesten zelfs het ziekenhuis vooruit betalen. Ik heb moeten zweren dat ik Gilbert niet in Frankrijk zou houden. De reddingsactie heeft handenvol geld gekost, maar dat werd volledig opgebracht door het Franse publiek, dat het verhaal van Gilbert kende uit de pers. Onze knul woont nu bij een pleegmoeder, mama Bricot, die mij op de radio had gehoord en die me opzocht met de boodschap: 'God heeft me opgedragen om voor dit kind te zorgen.' Het is een vrouw met een gouden hart, zelf moeder van een kind en ze heeft het niet breed. Gilbert heeft nergens meer last van. De jongen die voor zijn operatie niet meer sprak, die getraumatiseerd en geterroriseerd was, is nu een aardig opgewekt kind dat het goed doet op school. Iedere Burundees kent zijn verhaal. Ik heb het al zo vaak verteld op de radio en de televisie en ik zeg er altijd bij: 'Misschien wordt Gilbert ooit nog eens de president van de republiek.'

Tijdens het avontuur met Gilbert heb ik van het begin tot het einde in angst gezeten: een kind dat niet het jouwe is weghalen uit Burundi, hemel en aarde bewegen om hem geopereerd te krijgen, dat is allemaal niet niks. Zijn pleegmoeder en ik gingen met hem mee tot aan de deur van de operatiezaal en we hebben hem afgeleid met grappige verhaaltjes. Tijdens de operatie zaten we op hete kolen. We veerden pas weer op toen de chirurg ons zei: 'Alles is goed gegaan.' Wat had ik in Burundi moeten vertellen als het slecht was afgelopen? God heeft ons daarvoor behoed. Gilbert dacht dat hij direct na de operatie weg zou mogen, maar hij bleef eerst drie dagen op de intensive care en daarna nog lang in observatie. Vlak na de ingreep kreeg hij een onverklaarbare koorts. We gingen elke dag bij hem op bezoek omdat we vreesden dat hij het gevecht zou opgeven als hij zich verlaten zou voelen. Ik vroeg hem: 'Wat is je liefste wens?' Het was een rode fiets. Een uur later had een van mijn medewerkers die al voor hem gekocht. Van de dokter mochten we hem in de ziekenhuisgangen leren fietsen en drie dagen later was de koorts geweken. Om die fiets te mogen meenemen naar Burundi is nog een ander verhaal, maar Gilbert was trots op zijn rode tweewieler!

De avond voor Gilberts terugkeer aten we samen met zijn pleeggezin. Ik zat te praten met mijn vriendin, toen ik een klein stemmetje in het Frans hoorde zeggen: 'Doe het raam dicht.' We deden eerst nog of we het niet hoorden, maar het stemmetje bleef aandringen. We geloofden onze oren niet: toen Gilbert in Frankrijk kwam, sprak hij niet eens in zijn eigen taal en natuurlijk kende hij geen woord Frans. We sloten het raam en gingen in het Frans met hem verder. Tijdens die vier maanden stommetje spelen had hij alles opgeslagen wat hij hoorde.

De terugreis was een avonturenroman. We moesten reizen via Nairobi in Kenia, waar Air France een hotel voor ons had geboekt. De volgende ochtend misten we het vliegtuig van het WFP. Door het embargo kwam vluchtinformatie niet door en we hadden ons vergist in de *gate*. En dat alles met die rode fiets onder de arm. We vonden een vlucht naar Kigali, maar die moesten we zelf betalen. Omdat de Keniaanse banken staakten, kon dat niet met onze betaalpas. We zijn toen op de luchthaven met de pet rondgegaan, maar de luchtvaartmaatschappij rekende extra kosten voor de fiets. Ik had geen dollar meer over. Ik praatte mijn keel schor om de vrouw aan de balie tot andere gedachten te brengen. Ik vertelde haar het verhaal van Gilbert, maar ze bleef onverbiddelijk. De spanning steeg en uiteindelijk krijste ik, op van de zenuwen: 'Ik hoop dat u eens hetzelfde overkomt en dat u dan overgeleverd wordt aan iemand zoals u!' Dat moet haar aan het denken hebben gezet, want ten slotte liet ze ons vertrekken, met de fiets.

In het vliegtuig ontmoette ik Midende, de voormalige Burundese minister van Geologie en Mijnbouw, die ik erg waardeer. Met mijn reis met de Maxim's Business Club heeft hij me geweldig geholpen door mijn hoge gasten in zijn tenten te laten logeren. Ik voelde me dus meteen op mijn gemak. We landden zonder problemen in Kigali, waar we moesten overstappen op een vlucht naar Bujumbura. Maar weer dook er een geldprobleem op. We zaten vast, zonder een cent op zak en midden in een embargo. We moesten het dus over land proberen. Goddank werd Rwanda net die dag bezocht door de Burundese minister van Defensie. Hij zag ons met Midende, die niet van onze zijde was geweken, en kwam op ons af. Ik legde hem de toestand uit. Hij nam de regie over en liet Midende voor onze tickets van Kigali naar Bujumbura zorgen. Dat was dus geregeld. Maar toen we landden was er niemand te zien. Het ontvangstcomité was het wachten beu geworden en was naar huis gegaan. Wat is dat triest, een verlaten luchthaven! Gilbert en ik hebben een taxi genomen, nog altijd met die beroemde fiets, die met touwen op het dak werd vastgesjord, naar het hoofdkantoor van Elke *rugo* een weeskind, maar ook daar waren de gasten al vertrokken. De psycholoog en de boys, die een geweldig feest hadden voorbereid en het hele huis hadden schoongeboend, waren bijna in tranen, maar toen ze ons zagen lieten ze hun vreugde de vrije loop. Gilbert week niet van mijn zijde, met een hand hield hij zijn geliefde fiets vast en met de andere hing hij aan mijn rok. Mama Bricot is gekomen en heeft hem in haar armen gesloten.

De volgende dag kregen we ons geweldige feest toch nog. Geen genodigde ontbrak, de trommelaars beukten zich in het zweet, de televisie kwam het kind filmen dat nu een beroemde Burundees is. Iedereen weet wie hij is en iedereen zal hem beschermen, wat hem een soort van levensverzekering geeft.

Zijn vroegere weeshuis wilde hem weer terugnemen. Maar wat voor leven konden ze hem daar bieden? Deden we al die moeite om hem nu weer terug te sturen? Kon hij niet veel beter opgroeien in een gezin, waar hij een ander leven zou leren kennen? Tijdens een nogal bits gesprek met de vrouwen van het weeshuis dat onder bevoegdheid van de gouverneur viel, legde ik ze uit: 'Als je aan de hel ontsnapt, wil je er niet meer terug. Dit kind heeft het geluk dat hij weer een moeder heeft.' Maar de vrouwen zagen mama Bricot niet zitten als pleegmoeder: 'We kennen haar niet, ze lijkt ons niet erg fatsoenlijk.' Ik antwoordde plechtig: 'Kun je iemands zeden op een weegschaal leggen om uit te maken wie er een beter mens is: u of zij?' En ik ging vastberaden door: 'Dit kind blijft in Bujumbura, bij mama Bricot, want het heeft nog veel medische nazorg nodig.' Waarop de vrouwen het argument aanvoerden dat ze in Gitega een dokter en een verpleegster hadden. 'Maar,' sloeg ik terug, 'als de vrouw van de gouverneur van Gitega zich in Bujumbura laat behandelen, wil dat vast zeggen dat jullie niet over een goede medische uitrusting beschikken. Gilbert is een heel speciaal geval. Hij onderging een zware operatie en de nazorg moet worden gedaan door specialisten.' In werkelijkheid was die plotselinge verknochtheid aan Gilbert gewoon opportunisme. Het kind was een beroemdheid geworden, waarvan ze hoopten te kunnen profiteren, misschien wel met subsidies of giften. Het vervolg bevestigt de aard van hun plotselinge genegenheid: Gilbert is nu drie jaar terug en heeft nog niet één bezoekje van ze gehad.

Het verhaal van Gilbert was voor ons een geweldige aanmoediging. Wat we doorgaans naar Burundi brengen, schriften, kleren, medicijnen, zijn vergankelijke dingen, hoewel ze natuurlijk onzichtbare sporen bij mensen nalaten. Maar een kind kun je zien opgroeien. Voor Gilbert ben ik tante Esther. Elke reis zoek ik hem op. Hij woont in de stad, dankzij mama Bricot, die grote offers brengt om een huisje in het centrum van Bujumbura te betalen. Hij gaat naar een particuliere school. Mama Bricot pakt alles aan. Ze heeft een handeltje en ondanks het feit dat er haast geen werk is te vinden, zijn haar twee kinderen allebei prachtig en netjes gekleed. Ik heb Gilbert beloofd dat hij volgend jaar, als hij de beste van zijn klas wordt, in de vakantie samen met mama Bricot mee mag naar Frankrijk. Hij kan dan nog wat medische tests ondergaan en iedereen die heeft meegeholpen en die benieuwd naar hem is, kan hem dan weer eens terugzien.

Afrikaanse voortreksters

In 1999 werd ik door een organisatie die La Maison du Supporter heet, in het Unesco-gebouw uitgeroepen tot *African Lady*. Het was de eerste aflevering van een tweejaarlijkse ceremonie, georganiseerd door Kameroenezen die de Afrikaanse vrouwen wilden eren*. Het was een andere manier om over Afrika te praten, de aandacht te vestigen op wat dat continent de wereld te bieden heeft en om te laten zien hoe vrouwen vooruitgang kunnen brengen. Hetzelfde jaar werd ik uitgenodigd voor de World Civil Society Conference in Montréal, waar ik een toespraak hield over Afrika en de cultuur van de vrede. In mei 2000 was ik op een gala-avond ten bate van de SUKA-stichting, die zich inzet voor kansarme vrouwen en kinderen in Burkina-Faso, met voorlichtingsprogramma's over vrouwenbesnijdenis en gedwongen huwelijken, over verspreiding van aids en de vooroordelen over kinderen met een geestelijke handicap. En omdat actievoeren bestaat uit herhalen, aandringen en altijd hetzelfde liedje zingen tot het doel is bereikt, hield ik eind december 2000 op een conferentie van de Wereldbank over Afrika en de XXIste eeuw ook nog een voordracht over de actieve rol van vrouwen bij de ontwikkelingshulp in Afrika. Altijd hamer ik op hetzelfde: Afrika zal erbovenop komen dankzij de vrouwen!

Elke manier is goed om een goede zaak vooruit te helpen. Een toespraak houden voor deskundigen uit de hele wereld, ondankbaar administratief werk, een pakje versturen, of... een boek schrijven. Burundi is een van de laatste Franstalige landen van Oost-Afrika. Frankrijk kan er een rol van gewicht spelen. In Rwanda rukt het Engels op door de massale terugkeer van vluch-

---

* Ik zat daar naast vooraanstaande vrouwen zoals Aicha Bah Diallo, de directrice van het Unesco-basiseducatieprogramma, de Kameroense schrijfster Calixthe Beyala en haar landgenote Marie-Roger Biloa, geweldige zangeressen als de Kaapverdische Cesaria Evora en de grote Zuid-Afrikaanse Myriam Makeba, naast de Nigeriaanse biochemicus Grace Oladunni L. Taylor, de Guinese journaliste Assiatou Bah Diallo, de Kameroense modeontwerpster Ly Dumas, de Beninse schrijfster Bileoma Mbaye, de Kameroense journaliste Denise Epoté Durand en haar Senegalese collega Marie-Laure Croisiers de Lacvivier.

telingen die sinds de jaren zestig in de Engelstalige landen Oeganda en Kenia woonden. In Congo wordt wel Frans gesproken, maar daar zijn nog zoveel problemen... Als Burundi niet meer zou bestaan, is het in de regio afgelopen met de Franstaligheid. Ik ben ook heel trots dat ik de eerste Burundese ben die een Franstalig boek heeft geschreven. Voorzover ik weet, heeft tot nu geen van mijn landgenoten zich aan zoiets gewaagd. Moet het water je dan zo aan de lippen staan, moet je zo aangeslagen raken door de hardheid van het bestaan, dat nooit eerder iemand van ons de pen pakte en zich uitsprak? Nog een terrein dat Afrikaanse vrouwen kunnen ontginnen, nog een gevecht dat ze kunnen winnen, nog een 'eerste keer' om te vieren.

Het kernwoord hier is 'communicatie' in haar zuiverste vorm en niet in de betekenis die de reclame eraan geeft. Communicatie tussen Noord en Zuid wier toekomst zo nauw is verweven, communicatie tussen de bevolkingsgroepen die tegen elkaar werden opgezet, communicatie tussen elkaar bestrijdende politieke groeperingen in Burundi, communicatie tussen de regering en de bevolking. Dat laatste ontbreekt nog het meest. Het is alsof een kleine kring mensen zichzelf wil trakteren op een lekker sausje en de enigen zijn die weten welke ingrediënten de kok gebruikt. Niemand eet graag iets waarvan hij niet weet wat erin zit. Iemand moet het recept bekendmaken.

De race tegen de klok

Toen ik in juni 2000 in Burundi verbleef, werd ik aangesproken door de cardioloog van Bujumbura. Hij wist wat ik voor Gilbert had gedaan en hij vestigde mijn aandacht op het probleem van dodelijke hartafwijkingen bij kinderen. Waren die een gevolg van de oorlog, van de ondervoeding van de moeders of van slechte hygiëne tijdens hun zwangerschap? Hoe het ook zij, die patiëntjes konden in Burundi niet worden behandeld wegens gebrek aan voldoende medische uitrusting. De cardioloog behandelde sinds enige tijd een paar ernstige gevallen, onder wie Arcade, die alleen gered konden worden met een spoedoperatie in Parijs. Ik legde contact met professor Leca van het kinderziekenhuis Hopitâl Necker. Die buitengewone vrouw is de voorzitster van Mécénat, een stichting die over heel de wereld hartoperaties op kinderen verricht. Professor Leca wilde de gevallen wel bekijken. Ik had de medische dossiers bij me van drie kinderen, Arcade, Émelyne en Pavel. De cardioloog uit Bujumbura en professor Leca waren het erover eens dat Arcade het dringendste geval was. Ik moest dus een gastgezin voor het jongetje zoeken en een manier vinden om hem over te vliegen. Een partner in Barcelona schonk twee tickets, een voor Arcade en een voor mij. Ik belde een bevriende radiojournalist die me drie minuten zendtijd gaf. Daarin kun je heel wat zeggen... We kregen veel telefoontjes, maar de meeste bellers wilden liever een kind adopteren dan onze Arcade in huis nemen. De volgende dag bood de producer van de uitzending zijn gezin aan als pleeggezin. Dus kon ik in oktober 2000 naar Burundi vertrekken. In Parijs was alles geregeld voor Arcade. Het pleeggezin en het ziekenhuis verwachtten hem.

Maar het hart van Arcade had niet op ons kunnen wachten. Bij mijn aankomst in Bujumbura hoorde ik dat het jongetje was gestorven. Ondanks de tegenslag besloten we natuurlijk om geen kostbare tijd te verspillen en, nu toch alles klaarstond, Émelyne mee te nemen. Haar hartafwijking was des te gecompliceerder doordat de slagaders van de longen in slechte staat waren. Émelyne was een patiëntje van dezelfde cardioloog. Ze woonde met haar broertjes en zusjes in het binnenland. Het gezin had de gebeurtenissen doorstaan, hoefde niet naar een kamp en overleefde dankzij de drie koeien. De cardioloog liet Émelyne naar de stad komen voor nog wat onderzoeken, terwijl wij ons haastten om de laatste administratieve horden te nemen. In tegenstelling tot wat we met

Gilbert beleefden, verstrekte de Franse ambassade grif het visum en was men er heel behulpzaam. Meer dan strikt genomen nodig was, want de ambassadesecretaris liet Émelyne de week voor haar vertrek bij hem thuis in Bujumbura logeren.

Het zevenjarige meisje had natuurlijk nooit eerder gereisd. Ze woog maar veertien kilo, het gewicht van een kind van drie! Het geruis van haar hartje was akelig om te horen. Ze had moeite met ademhalen en als ze zat, gooide ze haar hoofdje naar achteren om naar zuurstof te happen. Ze was een ondeugende, vrolijke schat. Ze kwam ogen tekort en ze bestookte ons met vragen: 'Waarom vouwen de vliegtuigen als ze op de grond staan hun vleugels niet in, net als de vogels?' 'We zijn boven de wolken, waar is de zee nu?' Ik had haar een paar woorden Frans geleerd. Ze was zo boordevol vertrouwen! Ze wist dat ze geopereerd moest worden, maar ik denk niet dat ze besefte hoe erg haar toestand was.

We hebben met dat zieke kind een enorme omzwerving moeten maken: Bujumbura-Nairobi, dan Nairobi-Amsterdam en ten slotte Amsterdam-Parijs. In Nairobi brachten we een avond door met mijn broer Godefroid en mijn zus Baudouine en mijn nichtjes Ketty en Rachel. In het restaurant *Le Carnivore* ontdekte Émelyne de kaart met vleessoorten uit heel Afrika. Ze zat opgewonden en guitig tussen ons in. Ze maakte ons aan het lachen en Godefroid, die ook al geen kniesoor is, nam ons mee naar de dierentuin. Hij stopte voor alle kooien en wees haar de dieren aan: 'Kijk Émelyne', zei hij dan geleerd, 'dat beest met die lange nagels is een knobbelzwijn. Maar er bestaat nog een ander ras, het hobbelzwijn. Dat zie je maar heel zelden!'

Bij aankomst in Parijs lag Émelyne met gebalde vuistjes diep in slaap. Zo zagen Lilian en Jocelyne, die Émelyne zouden verzorgen, haar voor het eerst. Ze was een modelkind, ze zei altijd keurig goedendag en maakte elke ochtend haar eigen bed op. Lilian en Jocelyne gaven haar de basiszorg die ze nodig had, zoals het vullen van de gaatjes in haar gebit. Ik had met Lilian geoefend hoe je 'doe je mond open' moest zeggen in het Kirundi, maar haar accent liet behoorlijk te wensen over en Émelyne vertelde me trots over de telefoon: 'Ik heb niet meteen mijn mond opengedaan, want ze zei het niet goed.'

Tien dagen na aankomst in Parijs werd Émelyne opgenomen in het ziekenhuis. Het was 14 november om zes uur in de ochtend. Twee uur later begon de ingreep, die meer dan tien uur zou duren en de vakkundigheid vereiste van tien mensen en werd gedaan met behulp van de modernste technologie. Dat allemaal om een meisje te redden dat afkomstig was uit de binnenlanden van een landje dat er, net als zijzelf, slecht aan toe was. Het heeft niet mogen baten. Ondanks haar onverwoestbare humeur, haar vertrouwen, haar geweldige aanpassingsvermogen en ondanks alle inspanningen om haar te redden, is Émelyne voorgoed ingeslapen in het land waar ze ook slapend werd binnengedragen. Ze zou haar heuvels niet meer terugzien. Ze zou niet net als Gilbert triomfantelijk thuiskomen met een fiets aan de hand. Wat voor cadeautje zou Émelyne gewenst hebben voor haar genezing? Het deed er niet meer toe. Ze zou nooit net als Gilbert de lieveling van heel het Burundese volk worden.

Professor Leca had me gewaarschuwd dat Émelyne een ernstig geval was en we kenden de risico's van de operatie. Die ingreep was de enige kans die haar nog restte. De cardioloog uit Bujumbura die de bijzonderheden van de operatie uitvoerig met mevrouw Leca had besproken, bracht de vader van Émelyne het vreselijke nieuws. 'God wilde niet dat haar hartje weer ging kloppen,' zei de vader. Ik heb lang met hem gesproken. We hadden het medische dossier voor hem in het Kirundi vertaald, zodat hij goed zou begrijpen wat er was gebeurd. Hij bedankte me en drukte me op het hart dat ik me niet schuldig moest voelen. Maar ik trok me die keiharde nederlaag juist vreselijk aan. Ik was degene die Émelyne had meegenomen. Ik moest de gevolgen voor mijn rekening nemen. Ik werd bestormd door vragen, waarop ik antwoorden trachtte te vinden. Wat zou beter geweest zijn? Had Émelyne wel geopereerd moeten worden? Hadden we haar familie wel hoop moeten geven door haar naar Parijs te halen? Ze was opgegeven. Zou het niet beter zijn geweest haar te laten sterven in de schoot van haar familie? Maar hoe kon je anderzijds berusten en niet de kleine kans grijpen op redding? In Burundi zou ze een vreselijke dood zijn gestorven. Ze zou langzaam zijn gestikt. Daarover bestond geen enkele twijfel. Nu had ze tenminste voordat ze stierf nog van het leven genoten, ze had nieuwe dingen leren kennen en ze had, kort maar intens, de oprechte liefde van haar pleeggezin gevoeld. Haar stralende vertrouwen had diepte gegeven aan de kleine verrassingen die ik haar heb kunnen bieden, de opwinding van de reis, het vliegtuig, de lichtjes, de verbazing over de grote stad.

Voor Lilian en Jocelyne kwam de slag hard aan. Het was voor hen een schok en veroorzaakte een diepe droefheid. Maar hoewel we te laat kwamen voor Arcade en voor Émelyne, ben ik er heilig van overtuigd dat je tegen beter weten in altijd moet proberen om het leven een kans te geven. We mogen ons niet laten ontmoedigen door tegenslagen en we mogen niet bang zijn voor verdriet. Die arts uit Bujumbura vroeg terecht aandacht voor zijn patiëntjes. Maar als Burundi meer geld had uitgegeven aan de volksgezondheid dan aan wapens, waren ze misschien te redden geweest. Ik zou het in heel het land willen uitschreeuwen: eis de medische uitrusting waarmee ziekten en afwijkingen kunnen worden opgespoord zodat ze behandeld kunnen worden voor het te laat is. We moeten aan de andere kinderen denken. De ouders moeten worden voorgelicht en er moet medisch personeel worden opgeleid. Op die boodschap blijf ik hameren en ooit zal ik mijn zin krijgen, want ik heb gelijk en iedereen weet dat.

Het stoffelijk overschot van Émelyne moest naar Burundi worden teruggebracht, een nieuwe omzwerving, die dit keer niet werd gedragen door hoop. In plaats van hoop gaf het gevoel een heilige plicht te vervullen ons nu de energie om alle obstakels te nemen.

Thuis wachtte een familie op haar geliefde kind. Dankzij de tussenkomst van Mécénat nam Mondial Assistence het transport op zich. Eindelijk kon ik vertrekken met die kleine kist. Lilian en Jocelyne deden mij, of liever gezegd ons, uitgeleide naar het vliegveld. In de buurt van Bujumbura werd onze Airbus beschoten door raketten. De experts telden dertien inslagen op het lijntoestel van de Sabena, dat enkel burgers vervoerde. Een passagier en een bemanningslid raakten gewond. Het was aan de vooravond van de conferentie van donorlanden die, onder leiding van Nelson Mandela, gingen proberen een routekaart voor de vrede uit te stippelen. Alle partijen waren erg prikkelbaar, omdat er zoveel op het spel stond. We boften ontzettend dat we, alsof Émelyne ons had beschermd, ontsnapten aan die terroristische aanslag. Op het vliegveld was er paniek en de veiligheidsmaatregelen waren verscherpt. De volgende ochtend kreeg ik eindelijk de kist mee. Ik liet hem openmaken en zag dat Émelyne vredig leek te slapen. Op het vliegveld heb ik haar een laatste maal kunnen tonen aan haar naasten, aan haar huilende broers en zussen. Het luchthavenpersoneel keek eerbiedig zwijgend toe en hield passend afstand. Burundezen hebben gevoel voor het essentiële. Het tragische verhaal van Émelyne ging heel het land rond, maar de Burundezen onthielden vooral onze inzet en onze bereidheid om het risico met de laatste hoop te nemen.

Jocelyne en Lilian hadden me cadeaus meegegeven voor de familie van Émelyne en vooral een prachtig Opinel-zakmes voor de vader. Ik vertelde hem van het oude gebruik dat je een cadeau waarmee je kunt snijden of prikken beantwoordt met een muntje ten teken dat de vriendschap niet is afgesneden. Het viel niet mee om die rouwende man uit de heuvels van Burundi een westers gebruik uit te leggen. Hij schaamde zich dat hij maar een kleinigheid kon missen en hij wilde het me vooral niet zomaar in de hand geven. Uiteindelijk is hij aarzelend een zelfgemaakt mandje gaan halen om het muntje in te leggen. Bij de begrafenis vroeg hij me om samen met de familie bloemen op het grafje te leggen. Hij bedankte ons en drong erop aan dat we zouden doorgaan met ons werk om andere kinderen een kans te geven. Dat doen we nu voor een derde kind, Pavel. Terwijl ik deze regels neerschrijf is al onze hoop gevestigd op Pavel. Want we moeten doorzetten. Gilbert is een levende aansporing voor ons. Het lot van Arcade en Émelyne zet ons aan om druk te blijven uitoefenen op de overheid: wij willen apparatuur die levens redt, geen geweren die doden.

De stille dood van duizenden

Tijdens die reis merkte ik dat er een vreemde sfeer hing in het land. Je hoorde overal zwaar geschut en het geratel van kalasjnikovs. Weinig mensen geloofden in de vredesakkoorden van Arusha, die in augustus 2000 waren getekend en die nauwelijks werden nageleefd. De kampen liepen wel leeg, maar de mensen keerden niet terug naar hun heuvels. Ze waren te bang. De landbouwers werden nog steeds aangevallen door gewapende bendes. De boeren wilden ook niet terug naar hun gronden vanwege de gruwelijke herinnering aan wat ze er hadden meegemaakt. De landerijen werden intussen bewerkt door de mensen die waren achtergebleven.

Toen de hervestigings- en ontheemdenkampen werden ontmanteld, zette de overheid in de omgeving van wegen en missieposten prefab-dorpen neer. Kampen van steen. Die behuizing lijkt helemaal niet meer op de traditionele woonvormen van het platteland en in de heuvels. Sommigen van de nieuwe dorpelingen gaan overdag al wel hun land bewerken. Op den duur moeten ze allemaal weer terug naar hun eigen gronden om hun ambacht van boer weer op te pakken.

De verarmde en verzwakte bevolking is kwetsbaar voor ziekten. Ik hoorde dat er in een provincie vierhonderdvijftig mensen zijn bezweken aan malaria. Wat beschamend! Want malaria hoeft allang niet meer dodelijk te zijn. In moderne landen is de ziekte tegenwoordig heel goed te voorkomen en te behandelen.

Het werk van de agentschappen wordt verlamd door de laksheid van de overheid en door de politieke situatie. In een overgangsperiode ontbreekt de motivatie om belangrijke beslissingen te nemen, omdat iedereen voornamelijk bezig is om zijn eigen belangen veilig te stellen voor 'later'.

Een enorme massa vluchtelingen staat op het punt terug te keren uit Tanzania. Zij zullen ongetwijfeld de verlaten gronden krijgen toegewezen. Ik ben veel banger voor het lot van de vluchtelingen in het binnenland. Ik kwam eens per ongeluk in een stuk *no man's land* terecht, een reep dorre grond waar tweehonderddertig gezinnen waren neergepoot en vervolgens aan hun lot overgelaten. Eén ngo had nog twee latrines geïnstalleerd en was toen vertrokken. De regio is politiek zo instabiel dat niemand er een voet durft te zetten. Op dat ondankbare stuk aarde waar niets gedijt, kunnen de vluchtelingen niet in hun eigen levensonderhoud voorzien. Vanuit Bujumbura belde ik met het wfp om te vragen of er iets gedaan kon worden voor die in de steek gelaten gezinnen. Het antwoord was dat die mensen eerst moeten worden erkend door de autoriteiten. De administrateur van de gemeenschap moest eerst de gouverneur aanschrijven, die op zijn beurt naar de minister zou schrijven. Alleen gezinnen die adminstratief bestonden, konden hulp verwachten. Om halverwege die paperassenrace te sterven hadden ze geen papieren nodig.

nooit meer staat er op een peperduur officieel monument. Die woorden staan er ter nagedachtenis van de leerlingen van het lyceum van Kibimba die in 1993 door de directeur werden afgeranseld, in een lokaal opgesloten, met benzine overgoten en levend verbrand. Bij de onthulling van het monument waren er ronkende toespraken over verzoening, er werden bloemenkransen gelegd, er werd gebeden en... de overlevende kinderen werden straal vergeten. Ze zijn nu volwassen en hun brandwonden en andere kwetsuren werden nauwelijks behandeld. De stakkers schreven me over het tragische lot van sommigen onder hen: 'Hun wonden zijn zo slecht behandeld dat ze verzweren, [...] hele stukken van hun lichaam zijn aan het wegrotten,[...] anderen hebben psychische klachten, [...] weer anderen zijn al zeven jaar invalide.' Ze hadden een belangenvereniging opgericht en vroegen mij of ik een goed woordje voor ze wilde doen. Ik belde het ministerie voor Volksgezondheid in Bujumbura en ik kreeg gedaan dat een van de oud-scholieren toestemming kreeg om zich 'op eigen kosten' (sic), te laten behandelen in het buitenland. Maar schandalig genoeg wil verder niemand iets voor ze doen.

Ook de Batwa (pygmeeën) leven voortaan in diepe armoede. Zoals de meeste nomaden in de wereld zijn zij nu gedwongen op een plek te blijven. Vroeger leefden ze van de productie van aardewerk, dat nagenoeg is verdrongen door plastic en email. Om te overleven moeten ze gewassen stelen van het land.

Weer de vrouwen

Ik heb met mijn vrouwengroepen prachtige momenten beleefd. Natuurlijk nadat ik mij had gekweten van het papierwerk waardoor de aanvragen om materiële steun *via* het ministerie van Sociale Zaken hun weg vonden naar de agentschappen, die zaden en landbouwgereedschap gaven. Samen met de vrouwen heb ik gezaaid en geplant. We zongen daarbij de oude liederen. Ze waren vol goede moed, aangestoken door de energie van mijn schoonzuster Carinie, die hen begeleidde. We zaaiden bonen en sorghum op het stuk land dat de gemeente had geschonken, op de plek waar ooit het kamp van Buyenzi stond dat Federico Mayor had bezocht. Het was een gezellig en bemoedigend karwei, waarmee de vrouwen aan hun toekomst werkten. Het was als een stukje onbewolkte hemel.

Er is altijd hoop. Ik ben ook gaan overleggen met die geweldige organisatie Terre des Hommes, die speciaal voor de vrouwen een maatschappelijk werkster vrijmaakte. Ze heeft de vrouwen geholpen, aangehoord en hun behoeften gepeild. Ze zal ze verder blijven volgen.

In Fota bezocht ik ook nog een andere groep vrouwen. Zij houden koeien. Baudouine wist bij het UNDP een financiering voor ze los te praten. Ze brachten een kroes sorghumwijn en bamboerietjes voor me mee. Ze hadden zich extra mooi gemaakt met hun veelkleurige klederdracht. Omdat ze me advies vroegen, raadde ik ze aan om aardewerk van de Batwa te kopen, dat te beschilderen en het in Bujumbura te verkopen aan buitenlanders of het in het buitenland te slijten. Op die manier kunnen ze een extraatje verdienen en tegelijkertijd de Batwa steunen. Een gehandicapte vrouw uit Fota kwam me vragen of ik haar aan een prothese kon helpen. Aangezien ze niet op het veld kan werken, ga ik proberen om geld te vinden voor een naaimachine waarmee ze een kledingatelier kan opzetten. Want dat is precies wat we moeten doen: iedereen die aan de slag probeert te komen, moeten we een handje helpen. Afrikaanse vrouwen zijn het voorbeeld van moed, zij houden de zaak draaiende, hebben alles in de hand, laten zich niet corrumperen en ze zetten door. Maar ze hebben geen machtsposities. Er zijn enkele vrouwelijke ministers, maar die zitten zelden op sleutelposten, net zoals in het Westen, trouwens.

In Bujumbura komen er steeds meer en steeds jongere straatkinderen. De straat is de kweekvijver voor de guerrilla. Mijn hart doet pijn als ik sommigen van mijn weeskinderen bezoek. Armoede is slopend en de gezinnen kunnen steeds moeilijker de eindjes aan elkaar knopen. De kinderen van mama Angèle waren ziek. Het opvangcentrum voor getraumatiseerde kinderen is wegens geldgebrek nog niet geopend, terwijl massa's kinderen die hulp dringend nodig hebben... Het is een grote poel van ellende en je kunt zo weinig doen. De mensen overleven maar net, maar zonder enig uitzicht op verbetering. Ze wachten op verandering, op capabele mensen die dat kunnen bewerkstelligen. Corruptie, lijdzaamheid, fatalisme... Gewenning aan de dood, aan het ongeluk en aan de armoede doordesemt de zielen. Wij Afrikanen zijn van nature berustend, maar tegenwoordig is de zaterdag niet meer het feest van vroeger. De opgewektheid die zelfs in de zwartste jaren nog standhield, is uitgedoofd. De afsluiting van een rouwperiode is wat men tegenwoordig het leven noemt.

Wazige beelden

President Buyoya heeft Fota bezocht en Fabiola en ik hebben aan zijn tafel gezeten. Hij was heel vriendelijk en noemde me zelfs met een ironisch lachje 'prinses'. Hij kwam vertellen dat de provincie Mwaro zich voorbeeldig had gedragen, omdat er maar zeer beperkt was gemoord. Maar hij ging niet zover om mijn vader de eer te geven voor die vreedzame coëxistentie. Ondanks die teleurstelling vonden we het positief om een provincie waar men het moorden had geweigerd als voorbeeld te stellen. Het is een opsteker voor de bevolking, het is goed te laten zien dat vreedzaam samenwonen mogelijk is. Als Mwaro het kan, kunnen alle andere provincies het ook.

Er komt nu een overgangsregering tot aan de volgende verkiezingen. In de akkoorden van Arusha staat dat gedurende de drie jaar van de overgang de naleving van de overeenkomsten wordt bewaakt door een commissie onder leiding van een VN-gezant. Daarmee gaan we volgens mij terug naar de koloniale tijd. Burundi kan niets zelfstandig beslissen zonder de goedkeuring van de commissie. Hoe kun je verkiezingen organiseren zonder dat de mensen weer een normaal leven leiden en er weer echte vrede heerst in het land? Hoe kun je kieslijsten opstellen zonder dat je een volkstelling hebt gehouden? Er is nog zoveel te doen... De

Arusha-akkoorden waren ongetwijfeld voor heel wat mensen een buitenkans, een prachtige banenbank voor onderhandelaars die tuk zijn op onkostenvergoedingen en belastingvoordelen. Ik vrees dat het allemaal weinig realistisch is. De strikte gelijkstelling in het leger van Hutu en Tutsi die Nelson Mandela wil, is in principe heel mooi, maar ook levensgevaarlijk. Is zo'n papieren maatregel niet eerder een manier om de scheiding tussen Hutu en Tutsi te verscherpen? En hoe moet je ze uit elkaar houden? Een groot leger heeft leiding nodig. Waar vind je die? In de gewapende guerrillabendes die zoveel gruweldaden op hun geweten hebben? En moet je om de quota te halen manschappen rekruteren uit die bendes? Kunnen de mensen die de massamoorden hebben meegemaakt dat accepteren? De Arusha-akkoorden zijn gebaseerd op onjuiste uitgangspunten. Ze spreken nog steeds van Hutu en Tutsi en nergens van Burundezen of van de natie. Je moet de obsessies en hersenschimmen van de oudere generatie niet doorgeven aan de jeugd. Dit is niet het soort taal dat de wonden zal genezen. Het kan zijn dat het meer een onhandige formulering is dan kwade opzet. Dan nog is het contraproductief. Onze voorouders hebben schouder aan schouder gevochten tegen de Arabieren. Aan het begin van de twintigste eeuw boden ze eendrachtig tegenstand aan de Duitsers. Maar nu wordt onze gemeenschap vergiftigd door een ideologie die de kolonisators hebben achtergelaten. Daar ligt de oorsprong van die onmacht om over 'Burundezen' te spreken. Ik ben bang dat Mandela, die de vredesbesprekingen organiseerde en die uiteindelijk de benodigde handtekeningen in de wacht sleepte, de fout heeft gemaakt om stereotypen en strategieën te gebruiken die nodig waren om zijn eigen land uit het slop te halen. Maar in Zuid-Afrika lagen de problemen heel anders dan in Burundi. Andere kwalen vragen om andere remedies. Maar telkens worden weer die eeuwige versleten ideeën over quota en zo uit de kast gehaald. Die hebben misschien ooit hun nut bewezen in grote landen als de Verenigde Staten, waar men er trouwens van terugkomt, en in Zuid-Afrika, maar voor ons... Burundi is nu eenmaal geen Zuid-Afrika, de problemen tussen Hutu en Tutsi zijn niet gelijk aan de kloof tussen blank en zwart in de tijd van de Apartheid.

De scholingsgraad is heel laag in Burundi. De opmars van de haat wordt pas gestopt en het leven wordt pas genormaliseerd als alle kinderen weer naar school gaan. Op school leert een kind geen oorlog voeren, maar aan zijn toekomst werken. Hoe kun je naar school met een lege maag en onder een permanente dreiging? We hebben ook nog te maken met een enorm tekort aan leerkrachten. Meegesleept in de waanzin van de oorlog, zijn ze bij het leger gegaan, ze zijn dood, of ze zijn naar het buitenland gevlucht. De elite vindt doorgaans ook dat het volk – en vooral de arme Hutu-boeren – onwetend moet worden gehouden. Maar mensen dom houden heeft nooit iets opgelost.

Eeuwig Afrika

Het Westen heeft Afrika altijd al leeggezogen, maar vergeleken bij vroeger is de aard van de plundering veranderd. Afrika is in de mode en alles wat Afrikaans is, is 'etnisch'. Het is een slinkse, listige en irritante manier om onze cultuur te kleineren. Behandelen Afrikanen de westerse kunst als 'etnisch'? Noem je een Louis x v - stoel 'etnisch'? Onze kunst is verworden tot een curiositeit. Het is chic om Afrikaanse kunst te verzamelen. Op die manier worden wij beroofd van ons erfgoed, dat ontdaan van zijn betekenis belandt in de vitrines van rijke liefhebbers. Voor heel de wereld is Afrika altijd een soort van reservoir geweest waarin je maar hoeft toe te tasten. Het continent werd beroofd van miljoenen mannen, van zijn immense bodemschatten, mineralen, diamanten en olie... Iedereen met een beetje publieke bekendheid en toegang tot de media moet de aanstormende generatie waarschuwen. Onder de avances en onder de zeeën van goede bedoelingen loert nog altijd diezelfde destructieve kracht. Al die veelbelovende jongens en meisjes die buiten Burundi zijn opgegroeid, moeten er terugkeren om de verandering op gang te brengen. De Afrikaanse *braindrain* is begrijpelijk, maar dramatisch. Geen land kan zonder jeugd, zonder de mensen die het heft in handen kunnen nemen en die zich in dienst stellen van het land waaraan ze hun bestaan danken en waarvan zij de toekomst zijn.

De Afrikanen in Frankrijk en in de rest van Europa kunnen al heel veel doen. Stel je voor dat iedereen 1,50 euro zou storten. Ik heb gezien hoe traag de internationale gemeenschap reageerde toen Mozambique begin 2000 werd getroffen door grote overstromingen. Hadden wij toen geld gehad, dan hadden we het rechtstreeks kunnen geven aan de talloze vrouwenprojecten in Mozambique. Ik denk ook aan het 'dorp van de hoop' dat in Kameroen nog moet worden gebouwd om de kindsoldaten op te vangen. Het land heeft zelf geen kindsoldaten, het is er kalm. Maar Kameroen ligt vlak bij Sierra Leone en Liberia, waar kinderen wel als soldaat worden gebruikt. De Kameroenezen zijn begaan met dat probleem en bereid het aan te pakken, eerst bescheiden en later, als men meer ervaring heeft en succesvoller wordt, ook grootscheepser.

Hulp van buitenaf betekent ook dat mensen voedsel krijgen waaraan ze niet zijn gewend. Onze vluchtelingenkampen krijgen koolzaadolie, terwijl Burundezen geen koolzaadolie verteren. Wij gebruiken palmolie. We mengen ook nooit erwten met maïs of erwten en bananen. De mensen in de kampen ruilen de producten die ze krijgen of ze verkopen die omdat ze er niets mee kunnen. Je kunt niet helpen zonder voorkennis. De donoren zijn soms woedend als ze merken dat hulpgoederen niet worden gebruikt. Maar het stereotype van de vluchteling bestaat alleen in de verbeelding van een overspannen of onwetende hulpverlener. Burundezen zijn bergbewoners. Ze zijn meestal vegetariër en om daar rekening mee te kunnen houden moet je beginnen met je op de hoogte te stellen... Een ideaalbeeld wordt niet vlugger overgenomen dan een eetgewoonte, en verteert niet beter.

Mijn grootste angst is dat mijn land op zekere dag zal worden ingelijfd bij een van de grote buurlanden en dat het nog maar een provincie zal zijn. Ja, ik ben echt bang dat de Burundese natie zal verdwijnen, die natie waar maar één taal, het Kirundi, wordt gesproken. Ik vrees het echt. Onder internationale druk zijn de hervestigingskampen, waar voornamelijk Hutu zaten, uit veiligheidsoverwegingen opgedoekt. De kampen voor de ontheemden bestaan nog wel. Er zitten grotendeels Tutsi uit andere regio's. Hun *rugo* werden verbrand en zijzelf moesten weg. In bepaalde regio's zijn alle Tutsi uitgeroeid, in andere streken kwamen ze oorspronkelijk helemaal niet voor.

Ontheemde Tutsi, Hutu- en nog meer Tutsi-vluchtelingen, uiteengejaagde Hutu die niet kunnen samenleven met ontheemde Tutsi maar daarom in de moerassen rondzwerven... Voeg bij al die mensen nog de berooide repatrianten uit Rwanda, Zaïre en Tanzania, de mensen die voor de genocide van 1993 naar de buurlanden vluchtten en die na de ondertekening van de Arusha-akkoorden zijn teruggekomen. Al die mensen begonnen eind 1996 voorzichtig aan de terugtocht. Denk ook aan de mensen die waren gevlucht, vooral naar Tanzania, tijdens de gebeurtenissen van 1972. Al die mensen 'zonder adres en zonder land', moeten weer worden opgenomen, met alle problemen van dien. Vanzelfsprekend wil iedereen weer naar zijn eigen stek terug, maar hoe moet dat? Mensen die hebben meegedaan aan de moorden, willen niet meer naar de heuvels waar iedereen ze kent en iedereen weet wat ze op hun geweten hebben. Het Hoge Commissariaat voor de Vluchtelingen wacht nog op de laatste handtekeningen onder de Arusha-akkoorden* om al die mensen thuis te brengen. Maar hoe gaat dat verlo-

* Dat gebeurde op 16 mei 2005.

pen? Dat vroeg ik aan de afgezant van het Commissariaat. Hoe dacht hij dat te gaan doen, met een Burundese overheid en een internationale gemeenschap die het paard achter de wagen spannen. Zij wilden akkoorden in plaats van eerst de rechtsstaat te herstellen, zodat er een stok achter de deur staat. Welk goed akkoord kan zijn gebaseerd op onrecht? Men liegt zichzelf voor dat de tijd zijn werk wel zal doen, met andere woorden, dat de vergetelheid de wonden wel zal verbergen. Wie kan de moordenaar van zijn familie vergeten? Zonder te denken aan een internationaal tribunaal zoals dat van Rwanda, zou enige vorm van recht heilzaam zijn. Nu de kampen leegraken, worden er nog altijd bijna een miljoen mensen vermist: zijn ze dood, verjaagd? In de kampen zijn de mensen eraan gewend geraakt dat ze te eten krijgen. Burundezen zijn van nature harde werkers, maar ze hebben de levenslust verloren die zo nauw verbonden is met werklust.

Ik heb het voorrecht genoten van een opvoeding. Ik kan reizen, kennis vergaren, vergelijken, mijn geest verrijken; het zou ongepast zijn als ik niet ageerde. Als ik rustig in mijn flat in Parijs bleef zitten, verdiende ik het om, net als toen ik klein was en straf kreeg van mijn vader, te voet naar het pensionaat te moeten. Ik heb een plicht te vervullen tegenover mijn familie, mijn ouders en mijn voorouders. Wij, de familie van prins Kamatari, moeten nog een identiteitsprobleem oplossen. De grondwet erkent Hutu, Tutsi en Batwa, maar niet de Ganwa waartoe wij behoren. Volgens de grondwet bestaan wij dus niet. Wij worden op een hoop geveegd met de Tutsi. Maar als je wilt praten in termen van bevolkingsgroepen of etniciteiten, moet je ook erkennen dat de koninklijke familie tot een andere groep hoort. Wij zijn een aparte groep en dat was waarschijnlijk de reden dat de vrede zo lang heeft kunnen standhouden. De koninklijke familie was deel van het cement waarmee het maatschappelijke evenwicht was gebouwd. Er zijn wel heel wat huwelijken geweest tussen Ganwa en Hutu of Tutsi. Mijn vader was bijvoorbeeld een Ganwa, maar mijn moeder was een Tutsi-Mwenengwe. Wij zijn Ganwa, zoals onze vader. En ongeacht wat er in de grondwet staat, blijf ik door mijn geboorte een Ganwa. Misschien is die poging om het bestaan van de Ganwa te ontkennen een manier om de getalsmatige onevenwichtigheid te corrigeren: als wij bij de Tutsi geteld worden, versterkt dat hun aantal tegenover de tachtig procent Hutu in het land. Er wordt gesuggereerd dat de Ganwa geen aparte bevolkingsgroep zijn, maar functionarissen en dat wij eigenlijk Tutsi zijn die zijn voorbestemd tot regeren. Maar de Burundese monarchie was nooit een koningschap van staatsdienaren. En welke Tutsi-clan zou de Ganwa in de armen willen sluiten en adopteren? Geen een. Dus omdat ze geen Hutu en geen Tutsi zijn, bestaan de Ganwa officieel niet meer... Men schrapt ons en brengt ons onder bij een andere groep. Het is een van de vele manieren om de geschiedenis van Burundi te herschrijven; maar die geschiedenis begint niet bij de republiek, ze is al veel ouder.

Ver van dit soort kwesties, zet ik mij met mijn eigen bescheiden mogelijkheden steeds meer in voor Afrikaanse meisjes in Frankrijk. Onder invloed van de Europese schoonheidsidealen laten ze steeds vaker hun huid ontkleuren. Dat is een verminking die ze niet mooier maakt. Mijn eigen verhaal kan ze motiveren en helpen. Heel veel meisjes vinden hun Afrikaanse identiteit prima en hebben geen behoefte meer hun haar te ontkroezen. Ik heb zelf ook invlechtingen en haarstukjes gebruikt, maar met weinig overtuiging, want het is maar een vermomming. Ik leef in twee werelden tegelijk en ik kan die meisjes genuanceerd bekijken. Ik ben Parisienne tot in mijn tenen en tegelijk aarts-Burundees. Ik ben dol op mijn land, het Burundese volkslied ontroert me diep en op de nationale feestdag draag ik de traditionele klederdracht. Ik leef in twee culturen en ik gebruik het beste van allebei.

Mijn twee jongste kinderen kennen Afrika alleen nog maar via mij. Ze willen alles weten over heldendaden van hun grootvader, over zijn lengte, zijn kracht, zijn hofhouding, de jacht. Ze zien hun grootvader als een legende die echt heeft bestaan. Ze hebben nog geen idee wat Afrika werkelijk is en ze komen nog niet verder dan de gebruikelijke clichés over de apebroodbomen en de leeuwen... Als ik ze eindelijk zal kunnen meenemen naar Burundi kunnen ze hun dromen een fundament geven en zullen ze zichzelf beter gaan begrijpen.

Wat zou ik zijn zonder Fota? Wat zou ik zijn zonder Parijs? Jarenlang heb ik bij die vraag nooit stilgestaan. Voor iedereen geldt dat hij het paradijs moet opgeven, maar mijn familie en ik werden er wel heel hardhandig uit verdreven. Maar in al die jaren ontmoette ik zoveel uitgestoken handen waaraan ik me kon optrekken, dat ik niet ten onder ging in de kille meren van bitterheid waar geen geluid en geen lichtstraaltje meer doordringen. Toen ik topmodel was, heb ik me niet laten meeslepen door het applaus en me niet laten verblinden door de schijnwerpers. Ik heb mensen ontmoet die uit de rijkdom van hun talenten en hun ziel me hulden in wat hun het kostbaarst was, hun creaties. Zij hebben de karrensporen die mijn land doorkruisen laten aansluiten op de Franse wegen. Zij hebben de dochter van de vermoorde prins een plaats gegeven op het podium, waar ze de levenslust kon uitdrukken van de blootsvoetse kinderen uit de Burundese heuvels. Diezelfde continuïteit die mij, ondanks de schijnbare breuk in mijn bestemming, in het spoor heeft gehouden, zal ongetwijfeld ook de littekens van Burundi kunnen zalven. Voortaan ga ik me aan die zaak wijden. Alles wat goed is voor Burundi, is ook goed voor de lijdende bevolkingen van andere Afrikaanse naties. Burundi moet beseffen dat het niet op herstel kan hopen zolang het Afrikaanse continent wordt opgedeeld door profiteurs, uitgeput door interne oorlogen, verteerd door ziekte en bedreigd door de onverbiddelijke opwarming van de aarde. Ik ben een gelukkige Afrikaanse, dat is mijn grootste schat en mijn grootste ervaringsdeskundigheid. De rest is slechts *knowhow*. Het 'vertrekken zonder omzien' gold maar tijdelijk. Toen ik me sterk genoeg voelde om over mijn schouder te kijken naar wat ik achterliet, zag ik alleen maar pijn. Dat deed me beseffen hoeveel ik van mijn vaderland hield en welke ereschuld ik wilde afbetalen. Het is geluk dat ik wil schenken, want mijn geluk heb ik aan mijn land te danken. Zoals Kenzo in 1999 bij zijn afscheid zijn mooiste creaties liet showen door de mannequins die ze indertijd hun glans gaven, wens ik Afrika toe geen seconde van zijn geschiedenis te vergeten. Wij, de mannequins die de creaties van Kenzo tien of twintig jaar geleden hadden geshowd, liepen misschien niet meer zo soepel, we hadden niet meer hetzelfde silhouet, maar na een paar stappen kwam de oude routine weer terug. De vreugde over de hereniging deed de rest. Ook de Burundezen moeten weer leren lopen. En ook zij zullen na de eerste aarzelende stappen en de angst om te struikelen die oude routine voelen terugkomen die van verschillende bevolkingsgroepen een natie hadden gemaakt. De vreugde over de hereniging zal de rest doen. Een Burundees spreekwoord zegt: 'Ik zag mijn land rechtop lopen, ik zag mijn land een been breken, mijn kinderen zullen mijn land weer zien opstaan.'

Dankwoord

Wat ik heb gedaan, had ik onmogelijk alleen kunnen bereiken. Mijn dank gaat in de eerste plaats uit naar de vrijwilligers van de Association des Burundais en France en de vereniging Un Enfant par Rugo.

En natuurlijk ook naar Venant Bamboneyeho, voormalig secretaris-generaal van de Burundese regering en de eerste die me heeft aangemoedigd en naar Pascal Gashirahamwe, de *muganwa*, 'overste', en naar de vele Burundese officials en burgers die mijn humanitaire acties altijd hebben gesteund.

Dank ook aan Paco Rabanne, Jacques Mouclier, Anne-Marie Beretta, Norbert Schmit en aan Bernard Trux, Pino Lancetti, aan Lanvin, Frédéric Castet, Daniel Tribouillard voor Léonard, aan Kenzo, aan prof. Francine Leca en haar team, aan prof. Debré, aan dr. Bennaceur en dr. Boissonet en hun medewerkers, aan Federico Mayor, aan Jacques Godefrain, Gérard Larome, aan Jacques, Olivia en Sarah Balutin, aan Jocelyne, Jean en Lilian Alleaume, aan Henri Morin, Jean-Louis Buzelin, aan Jean Demachy, aan Mactar Silla, aan Francine Vormese, aan Violaine Gelly, aan Emmanuelle Pontié, aan Marie-Jeanne Serbin, aan Evy Dally, aan Jeanne Ntakabanyura, aan Générose Ndaye, aan Théogène Karabayenga, aan Zéphirin Kouadio, aan Bruno Fannuchi, aan Jean- François Probst, aan Cherif Khaznadar en aan Martine Westphal, aan Catherine Carpentier, aan de gebroeders Touré Kunda, aan Philippe Ngamou, aan Gérard Wilson, aan George Kamanayo, aan Augustin Nsengimana, aan Rémi Nsengiyunva, aan Claude Welcken, aan Michael Kra, aan Pape, aan Roberto Rojas, aan Warren Colman, aan Zijne Excellentie Yan Mutton, ambassadeur van België in Burundi, aan Zijne Excellentie Marcel Causse, voormalig ambassadeur van Frankrijk in Burundi, aan Honorable Maura Camoirano, aan Zijne Excellentie Pietro Sambi, apostolisch nuntius, die mijn zoon Arthur doopte in Bujumbura.

Dank aan mijn partners die hun *knowhow* ter beschikking stelden, me hun tijd en hun vriendschap schonken. Dank aan de media die onze boodschap van hoop verspreidden, aan het gemeentebestuur van Boulogne-Billancourt voor zijn onmisbare steun, aan de thermen van Vichy, aan Maison des cultures du monde, aan Unesco, aan de Cellule d'Urgence, aan Maison des supporteurs pour 'African Lady', aan Sanofi, aan Black Sugar, aan PAM, aan Unicef, OMS, VWO, aan PNUD, aan Terre des Hommes, aan Mondial Assistance, aan het Rode Kruis van Burundi. Met ontroering en bijzondere erkentelijkheid, gedenk ik hen die niet meer onder ons zijn, Jules-François Crahay, Christian Aujard, André-Pierre Tarbès, Topor, Norman Parkinson, Jean Castel, Zijne Excellentie lbrahim Maïnassara Baré, president van Niger.

Ten slotte mijn dank aan al diegenen die ik hier niet kan opnoemen, die mij de hand hebben gereikt en dankzij wie ik ben geworden die ik ben.

Over Burundi

Geografische gegevens
Midden-Afrika
Burundi wordt begrensd door de Democratische Republiek Congo in het westen, Rwanda in het noorden en Tanzania in het oosten.

Hoofdstad: Bujumbura.
Totale oppervlakte: 27 834 km^2 (Nederland: 41 529 km^2).
Burundi heeft geen toegang tot de zee, maar is een van de landen die rond het Tanganyikameer liggen.
Heuvellandschap.
Laagste punt: 722 m (het Tanganyikameer).
Hoogste punt: 2670 m (de berg Heha).
Door zijn hoge ligging heeft Burundi een mild klimaat, ondanks het feit dat het land dicht bij de evenaar ligt. De jaarlijkse regenval bedraagt ongeveer 150 cm. Er zijn twee regenperiodes: van februari tot mei en van september tot november, en twee droge seizoenen: van juni tot augustus en maanden december en januari.

De Burundezen

Bevolking: 5 736 000 inwoners (volgens cijfers uit 1999, want door de aanhoudende conflicten zijn er daarna geen volkstellingen meer gehouden).

Taal: Kirundi.

Godsdiensten: christenen 67% (van wie 62% rooms-katholieken, 5% protestanten, 32% natuurgodsdiensten en 1% moslims.

Alfabetiseringsgraad: 50%.

Levensverwachting: gemiddeld 45,44 jaar (volgens een opgave uit 1999: 43,54 jaar voor mannen, 47,41 jaar voor vrouwen).

Sterfte bij kinderen onder de vijf jaar: 176‰.

Bevolkingsgroei: 3,54%.

Economie

Voornamelijk landbouw. Ongeveer negentig procent van de bevolking leeft van de opbrengst van de aarde. Producten: koffie, katoen, thee, sorghum, aardappels, bananen, maniok, runderen en schapen, melk, leer.

Koffie-export: tachtig procent van de deviezen.

Delfstoffen (nauwelijks geëxploiteerd): nikkel, uranium, goud, kobalt, koper.

Industrie: gebruiksgoederen (dekens, zeep, schoenen, dranken, stoffen).

Burundi heeft geen spoorwegen.

De internationale haven is Bujumbura aan het Tanganyikameer.

Geschiedenis

xve-xvie eeuw: vorming van de bevolking volgens de samenstelling die in Burundi nog steeds bestaat. Ontstaan van het koninkrijk Burundi.

Koning Ntare Ruhatsi (xviie eeuw) stelde een heilig en erfelijk centraal gezag in.

Het prekoloniale Burundi vormde een hechte natie, met één cultuur, één godsdienst en één taal, bestuurd door een koning die de wet en de traditie belichaamde.

De sociale structuur van de clans en de afstammingslijnen van elitegroepen als de Baganwa, de Bahutu, de Batutsi en de Batwa (pygmeeën), berustte op een verwantschapssysteem en op onderlinge steun. Er waren geen etnische conflicten. Deze oude structuur ging teloor onder westerse invloed.

Tijdens de Koloniale Conferentie van Berlijn (1884-1885) regelden de Europese mogendheden onderling de verdeling van Afrika. Burundi werd in 1890 officieel 'Duits Protectoraat in Oost-Afrika'. Zes jaar lang verzette Burundi zich tegen de Duitse bezetting, maar het moest de tegenstand uiteindelijk opgeven. Koning Mwezi Gisabo ondertekende op 6 juni 1903 het Verdrag van Kiganda, waarbij de Duitsers het gezag van de koning erkenden en beloofden het traditionele gezag te respecteren.

Koning Mwambutsa iv kwam aan de macht na de dood van zijn vader Mutaga iv, toen hij nog geen zes jaar oud was. Mwambutsa bleef meer dan een halve eeuw op de troon.

Door de Eerste Wereldoorlog verloor Duitsland zijn Afrikaanse kolonies en protectoraten.

Burundi werd als bezet gebied beschouwd en door de Volkenbond onder Belgisch bestuur geplaatst.

In 1924 aanvaardde België het mandaat over Burundi. Na de Tweede Wereldoorlog werd het mandaat omgezet en bestuurde België Burundi als een trustgebied van de Verenigde Naties. Het Belgische bestuur verscherpte de etnische verschillen door een elitair onderwijssysteem in te voeren, door Hutu-onderchefs uit te sluiten van het bestuur en door de Tutsi voor te stellen als een superieur ras, dat als enige geschikt was voor de politiek. De verontwaardiging van de Hutu steeg met de jaren.

Aan het einde van de jaren vijftig van de twintigste eeuw stichtte prins Louis Rwagasore, de oudste zoon van koning Mwambutsa IV, de UPRONA (Unie voor nationale vooruitgang), die onmiddellijk zelfstandigheid eiste. Zijn partij won de parlementsverkiezingen van september 1961. Op 13 oktober van hetzelfde jaar werd prins Louis Rwagasore vermoord. De zelfstandigheid waarvan hij de architect was, werd een paar maanden later een feit.

DE REPUBLIEK BURUNDI

De Verenigde Naties namen op 27 juni 1962 een resolutie aan die per 1 juli 1962 een einde maakte aan de Belgische voogdij. Burundi werd onafhankelijk onder koning Mwambutsa IV.

1964: Prins Kamatari wordt vermoord.

1965: De Hutu-premier Pierre Ngendandumwe wordt vermoord. Er wordt een bloedbad aangericht onder de Tutsi, de reactie is repressie van alles wat Hutu is.

1966: Mwambutsa IV treedt af en zijn zoon Charles Ndizeye volgt hem kortstondig op als Ntare V. Charles Ndizeye is dan pas negentien jaar; hij groeide op in Europa. Een staatsgreep maakt een einde aan de monarchie. Er komt een eerste republiek onder president Michel Micombero, een Tutsi-officier en de voormalige eerste minister van de koning.

1972: Hutu-aanvallen en massamoorden op de Tutsi. Bronnen spreken van honderd- tot driehonderdduizend doden en evenzoveel vluchtelingen (de meeste naar Tanzania). Ntare V keert terug uit ballingschap in Oeganda, wordt gearresteerd en overlijdt onder onopgehelderde omstandigheden.

1976: Een staatsgreep vestigt de tweede republiek met kolonel Jean-Baptiste Bagaza als president. De vluchtelingen uit Tanzania en Rwanda keren massaal terug.

1977: Mwami (koning) Mwambutsa IV overlijdt in Zwitserland.

1987: Een staatsgreep vestigt de derde republiek onder de Tutsipresident Pierre Buyoya.

1988: In het noorden van het land richten Hutu-dorpelingen slachtpartijen aan onder Tutsi-boeren. Onderdrukking door het leger, grotendeels bestaande uit Tutsi. Anders dan in 1972 is de toestand snel weer onder controle. Resultaat: tussen de vijf- en twintigduizend doden volgens de bronnen. Een gemengde Hutu-Tutsi-regering probeert te komen tot een politiek van nationale eenheid.

1990: Het bezoek van paus Johannes Paulus II.

1993: In juni zijn er presidentsverkiezingen. De Hutu Melchior Ndadaye wordt gekozen. Op 21 oktober wordt ook hij vermoord. Er breken onlusten uit waarbij duizenden doden vallen en duizenden vluchtelingen uitwijken naar de buurstaten. Er komen enorme volksverhuizingen op gang.

1994: In februari wordt president Ndadaye opgevolgd door Cyprien Ntaryamira, eveneens een Hutu. Ntaryamira komt in april om bij een vliegtuigongeluk (een aanslag), samen met de president van de Rwandese Republiek, Juvénal Habyarimana. Ntaryamira's opvolger is Sylvestre Ntibantunganya, de president van de Nationale Assemblee.

De escalatie van het conflict veroorzaakt overal in het binnenland volksverhuizingen. Maar ook vluchten veel mensen naar het buitenland (Zaïre en Tanzania).

De ondertekening van een regeerakkoord tussen dertien partijen bekrachtigt de machtsverhoudingen tussen de verschillende politieke groeperingen. Het land raakt steeds erger verlamd; er vinden steeds meer massamoorden plaats, onder meer in Teza en Bugendana, en de vluchtelingenstromen zwellen aan.

1996: In juli neemt Pierre Buyoya de macht over, terwijl de instellingen steeds verder verlamd raken en de onlusten toenemen. Op 31 juli besluiten de buurlanden tot een handelsembargo. Burundese vluchtelingen keren terug uit Zaïre, waar ook een oorlog woedt. Hele bevolkingsgroepen worden gedwongen zich te hervestigen.

1997: Nieuwe volksverhuizingen.

1998: Ontmanteling van de kampen, nieuwe hergroeperingen.

1999: Op 13 januari wordt het economisch embargo opgeheven.

2001: Nieuwe regering onder leiding van Pierre Buyoya.

2003: Mr. Ndayizeye wordt president, Alphonse Marie Kedege wordt vice-president.

2005: Nieuwe verkiezingen

De problemen van de vrede

Elk politiek en/of etnisch kamp geeft zijn eigen lezing van deze gebeurtenissen en al die versies lopen drastisch uiteen. Alle partijen voelen zich het slachtoffer van volkerenmoord.

In 1998 bracht de internationale gemeenschap in Arusha in Tanzania het vredesproces op gang. De eerste bemiddelaar was de Tanzaniaanse oud-president Julius Nyerere. Na zijn overlijden volgde Nelson Mandela hem op. Bij de topconferentie van Arusha zaten afgevaardigden van Oeganda, Tanzania, Kenia, Rwanda, Burundi, Ethiopië, de Democratische Republiek Congo, Zuid-Afrika, Zambia en Zimbabwe. Ze deden een dringend beroep op alle negentien delegaties van de betrokken Burundese partijen om een vredesakkoord mogelijk te maken.

De voornaamste punten van het akkoord moesten het machtsevenwicht tussen de Hutu en de Tutsi garanderen: er kwam één president en de verschillende etnische groeperingen en politieke partijen leverden twee vice-presidenten. De Nationale Vergadering zou bestaan uit honderd leden en de Senaat kreeg twee afgevaardigden per provincie.

Het akkoord behelsde voorts dat nooit één enkele etnische groepering de meerderheid in het leger mocht uitmaken: 'om te voorkomen dat het leger mono-etnisch wordt of kan worden gebruikt als instrument voor etnische onderdrukking'. Drie tot zes maanden na ondertekening van het akkoord zou er een overgangsperiode ingaan. Na maximaal dertig maanden moest die periode worden afgesloten met de verkiezing van een nieuwe president. Het akkoord voorzag ook in de oprichting van een 'Waarheids- en verzoeningscommissie'.

28 augustus 2000: Onder zware internationale druk ondertekenen dertien van de negentien aanwezige partijen het Vredesakkoord van Arusha. De tekst bevat echter geen afspraken over een staakt-het-vuren en de gevechten gaan gewoon door.

19 september: Drie Tutsi-partijen die het akkoord niet hadden ondertekend, tekenen alsnog.

12 december: De internationale Burundi-conferentie in Parijs. De donorlanden, voorgezeten door Nelson Mandela, willen het land helpen om uit de geweldsspiraal te raken en bestuderen de eventuele hervatting van een grootschalige internationale samenwerking voor de wederopbouw van het land.

9 januari 2001: De ontmoeting tussen Pierre Buyoya, president van de republiek, en Jean-Bosco Ndayikengurukiye, leider van de beweging voor de verdediging van de democratie (FDD), de belangrijkste Hutu-verzetsbeweging die het akkoord van 28 augustus niet had ondertekend. De heren besluiten de dialoog tussen de regering en de verzetsbewegingen op gang te brengen. Na Kerstmis 2001 waren de gewelddadigheden in het land heviger dan ooit.